Oh,

My

Style

Oh,

글 **최경원** 그림 **최경원 • 고학수**

minimum

머리말

옷을 잘 입고 싶은가

멋지게 차려입고 뭇사람의 시선을 한 몸에 받는다는 것, 이 얼마나 신나는 일인가. 옷을 잘 입는다는 것은 이제 '자신을 누리는' 최고의 행복이 되고 있다. 그러나 아무나 그런 행복을 누리는 것은 아니다.

누구는 청바지에 스카프 하나만 둘러도 옷에서 빛이 나는데, 아무리 이런저런 옷들을 맞추어 입어도 탐탁지 않다. 마음먹고 비싼 명품 한 벌을 장만해 입기는 하지만 남의 옷 빌려 입은 것처럼 태가 안 나거나, 심지어 엄마 옷 입고 나왔냐는 소리를 들을 때는 자신감이 바닥으로 쳐진다. 이럴 때 자칫 축복받지 못한 자신의 몸을 향해 원망어린 눈길을 보내기가 쉽다. 그러나 이 세상에 축복받은 몸매인 사람이 몇이나 될까? 게다가 황금몸매를 자랑하면서도 워스트 드레서에 오르내리리는 연예인은 또 얼마나 많은가. 그렇다면 몸매가 아니라 다른 것을 점검해봐야 한다.

옷은 몸 위에 덮인다. 몸을 가린다. 몸의 모든 문제점은 옷으로 가릴 수 있다. 반면에 잘록한 허리, 예쁜 쇄골 등은 드러내야 한다. 옷을 입는다는 것은 간단하다. 이렇게 몸의 약점은 가리고 몸의 장점은 드러내면 되는 것이다.

그런데 이게 간단하지만 쉽지는 않다. 비싼 옷을 많이 사고, 패션잡지를 뒤지지만 잘되지 않는다. 자기 몸의 장단점을 세밀하게 따질 수 있고, 자신이 원하는 이미지를 추릴 수 있는 좋은 눈이 없기 때문이다. 아무리 좋은 옷이 있어도 자기에게 맞지 않으면 소용이 없다. 옷이 날개가 되기 위해서는 패션 정보가 아니라 좋은 눈이 있어야 한다. 그리고 또 하나, 그러한 눈 뒤에는 반드시 '고상한 미적 취향'을 장착하고 있어야 한다. 아무리 눈이 정밀하다 하더라도 취향이 '저급하다'면 벌거벗은 임금님이 되기 쉽다. 옷을 잘 입지 못하는 것 같다면 자기의 눈과 취향을 검토해보는 것이 좋다.

그렇다면 좋은 눈과 수준 높은 취향은 어떻게 얻을 수 있을까?

그러기 위해서는 우선 옷을 잘 입는다는 것이 옷의 문제가 아니라 옷의 비주얼 효과(visual effect)에 관한 문제라는 것을 알아야 한다. 옷을 잘 입는다는 것은 이런 저런 옷을 조화롭게 매치하여 아름답게 보이는 것을 말한다. 눈으로 보기에 아름다워 보이게 한다는 점에서는 옷을 입는 것이나 하얀색 캔버스에 여러 가지 색을 칠해서 최고로 아름다운 그림을 그리는 것이나 근본적으로는 같다. 모두가 색과 형태를 조율하여 최고의 아름다움을 표현하려는 창조적인 일인 것이다. 그리고 사람들은 남의 옷차림을 보는 똑같은 그 눈으로 아름다운 그림을 보고 아름다운 조각을 본다.

그렇기 때문에 옷을 잘 입는 것은 패션분야에만 한정된 전문적인 일이 아니라, 그림이나 조각, 영화와 같은 예술을 관통하는 보편적인 아름다움의 문제에 가닿는다. 옷을 입는 데에 필요한 좋은 눈과 높은 안목도 역시 옷이라는 좁은 우물 안에서가 아니라 아름다움을 판단하는 보편적인 미적 논리 속에서 만들어진다고 할 수 있다. 말하자면 피카소나 마티스와 같은 화가들의 그림이나 자하 하디드 같은 건축가의 작품을 이해하고 볼 수 있다면, 같은 눈과 수준에서 옷도 볼 수 있는 것이다.

따라서 옷을 입는다는 것만큼 일상적인 일도 없지만, 그만큼 흥미진진하고 창조적인 일도 없다. 옷을 잘 입는다는 것은 그냥 멋지게 옷을 입고 뽐내는 일이 아니라 일상을 예술로 만드는 일이다. 그러니 한 가지만 명심한다면 어렵지 않게 옷을 잘 입을 수 있을 것이다.

"멋지게 옷을 차려입고 집을 나서는 순간
우리는 누구나 예술가가 된다."

Contents

02 옷, 스타일을 말하다

03 스타일, 몸을 완성하다 I 옷의 인상을 결정짓는 상의

06 스타일을 빛내는 패션의 친구들

B O D Y

01 몸

옷을 디자인하다

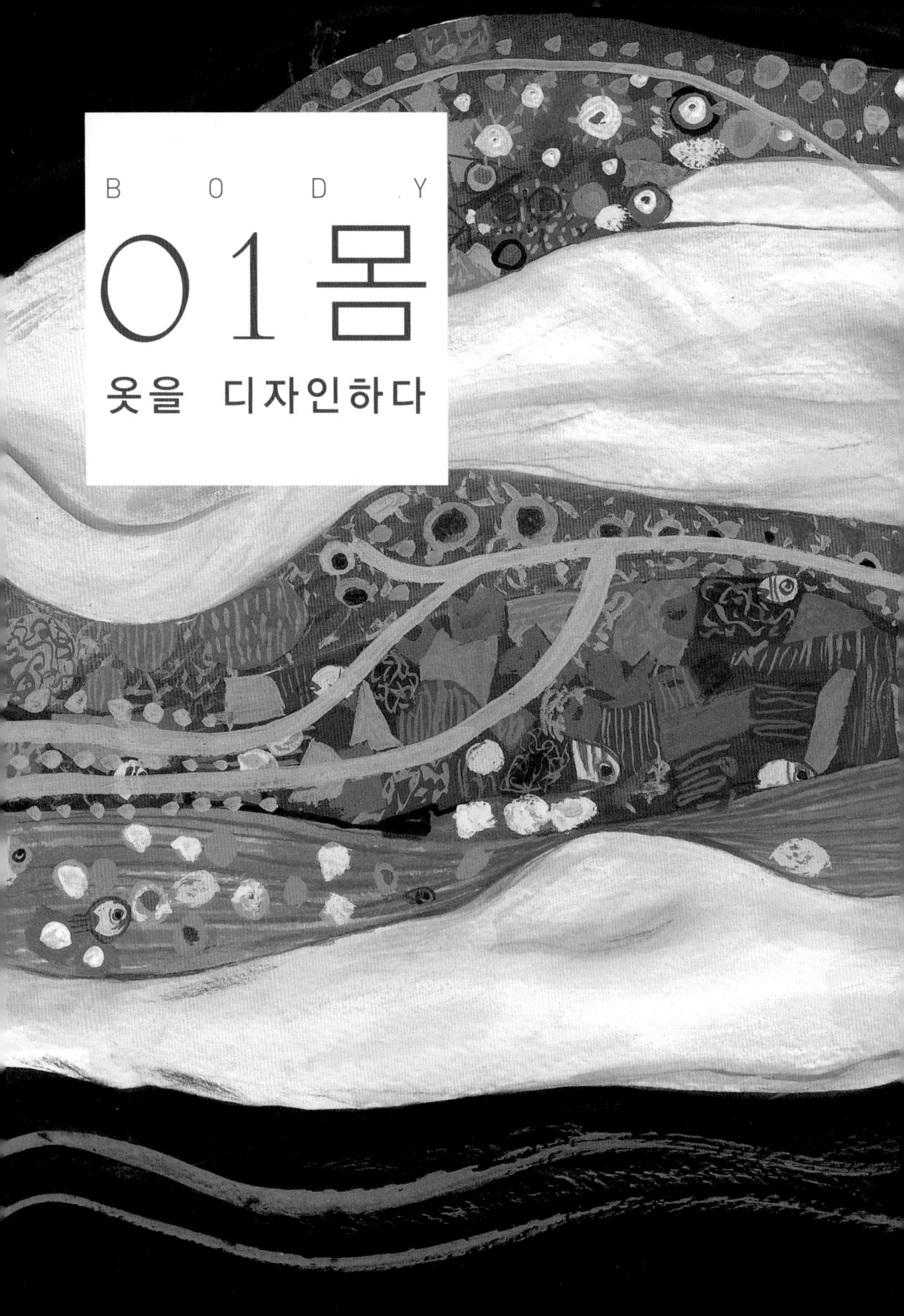

세상에는 수많은 모양의 옷이 있다. 옷을 입는다는 것은 그래서 어렵다. 그런데 이 많은 옷은 단 하나의 소실점을 향한다. 그것은 바로 '몸'이다. 어떤 옷이든 몸이라는 과녁을 향해 날아든다. 그러니 날아가는 수많은 옷자락을 잡는 것보다는 몸이라는 과녁을 확실하게 확보하는 것이 더 유리할 것이다. 옷을 입는다는 것은 그래서 또한 쉽다.

1 몸이 먼저인가, 옷이 먼저인가

옷을 잘 입기 위해서는 무엇을 먼저 챙겨야 할까? 많은 사람은 패션 잡지를 뒤적이고, 명품을 줄줄 외고, 백화점 쇼윈도에서 좋은 옷, 예쁜 옷을 찾는다. 남들보다 좋은 옷, 예쁜 옷을 입는 것이 옷을 잘 입는 것이라 생각하기 때문이다. 하지만 가장 먼저 보고 살펴야 할 것은 옷이 아니라 '내 몸'이다. 옷은 몸에 입혀지기 때문이다.

몸 vs 옷, 몸 and 옷

자기 전에 옷장에 있는 옷을 모두 바닥에 꺼내놓고 다음날 입고나갈 옷을 고심하는 사람도 있다. 매일 그렇게 하지는 않더라도 특별한 경우에는, 예컨대 지인의 결혼식이나 소개팅이 있기라도 하는 날이면 누구나 흔히 그렇게 한다. 정도는 다르겠지만 옷을 입는 일은 누구에게나 중요한 고민거리다. 하지만 세상 사람들에게 아름다운 자태, 세련된 교양, 높은 지성 등을 뽐낼 수 있는 일이니 양보할 수 없는 즐거운 고민이기도 하다. 즐겁긴 해도 고민은 고민이다. 풀기 쉬운 문제는 아니기 때문이다.

누구나 에지(?) 있게, 시크(?)하게 보이고 싶고, 또 그렇게 옷을 입어야 한다고 말하지만 정작 에지 있게, 시크하게 옷을 입는 방법에 대해서는 아무도 말해주지 않는다. 패션잡지나 패션전문가라는 사람들이 사라는 대로 옷을 샀다가는 집안 기둥 몇 개는 뽑아야 하고, 설사 그렇게 한다고 해도 자기에게 어울릴 것이라는 보장이 있는 것도 아니다.

옷을 어떻게 입어야 할지 아무런 기준도 없고, 안목도 그저 그렇고, 취향은 세련되지 못하다면 천상 패션잡지나 텔레비전 등에서 말하는 내용을 매뉴얼처럼 따라할 수밖에 없다. 하지만 그것은 내가 고려되지 않은 타인의 견해, 규격화된 매뉴얼일 뿐이다.

옷은 규격화되어 대량으로 예쁘게 만들어지지만 그 옷이 입혀지는 사람의 몸은 모두 다르게 생겼다. 어떤 사람은 다리가 길고, 어떤 사람은 어깨가 넓다. 그런데도 '이런 옷에는 이런 옷을 입어야 좋다' 고 말하는 것은 일간신문에 나온 '오늘의 운세' 보다 나을 것이 없다. 그것은 기껏해야 다양한 사람의 다양한 몸과 취향을 납작하게 획일화시켜버리는 몹쓸 결과만 빚을 뿐이다. 이 모든 문제는 방바닥에 펼쳐진 옷만을 바라보기 때문에 나타난다.

옷이 빛을 발하는 것은 옷걸이에 걸려 있을 때가 아니라 몸에 걸쳐졌을 때다. 더할 것도, 뺄 것도 없이 그 옷이 몸에 쫙 달라붙어 하나로 보일 때 최고로 멋져 보인다. 그러니 옷을 잘 입기 위해서는 옷이 아니라 옷과 몸을 같이 보아야 한다.

몸, 옷의 디자인을 지시하다

유행에 따라, 시즌에 따라 수없이 많은 브랜드에서 엄청나게 많은 옷이 뜨겁게 쏟아져 나온다. 이 많은 옷의 면모를 일일이 살펴가면서 입는다는 것은 엄청난 숙제다. 하지만 아무리 많은 옷이 있다 하더라도 뒤집어보면 그 안에는 몸이 나타난다. 모든 옷은 몸에서 시작한다. 따라서 아무리 많은 옷이 있다고 하더라도 시작점만 잘 붙잡고 있으면 어렵지 않게 이해할 수 있다.

그렇다고 해서 옷을 순전히 몸의 네거티브, 몸의 부산물로만 취급할 수는 없다. 실제로는 그 반대다. 옷을 입는다는 것은, 좀 적나라하게 표현하면, 액체처럼 출렁거리는 몸이 옷이라는 그릇에 담기는 것이라 할 수 있다. 사람의 몸은 옷의 모양에 따라 단점이 가려지고 장점이 강조되어 보인다.

옷이라는 그릇에 담기는 몸

이렇게 옷이라는 그릇에 몸이 아주 알맞게 맞아떨어진 것을 두고 패션계에서는 '핏(Fit)이 좋다' 혹은, '피팅이 잘 맞았다' 라고 표현한다.
그런데 사람의 몸은 제각기 다르게 생겼고, 옷 모양 또한 다양하기 때문에 흘러넘치든가 남아돌아가지 않고 양자가 찰떡궁합으로 잘 맞아떨어지기란 여간 어려운 일이 아니다. 사실 옷을 잘 입는다는 것은 옷과 몸이 서로 잘 맞아떨어지게 하는 것이라고 할 수 있다.

그렇다면 사람의 몸은 어떻게 옷의 형태를 만들고, 사람의 몸은 그런 옷에 어떻게 담기게 될까? 배기팬츠와 부츠컷팬츠를 통해 옷의 형태와 몸의 긴밀한 관계를 간단히 살펴보자.

부츠컷팬츠와 배기팬츠의 서로 다른 구조

다리를 길어 보이게 하는 전혀 다른 두 바지

배기팬츠는 윗부분이 넓고 밑단이 좁은 바지고, 소위 나팔바지라 부르는 부츠컷은 배기팬츠와는 정반대로 생겼다. 알다시피 이 바지는 위가 좁고 아래로 내려올수록 바짓단이 넓어진다. 생긴 것만 다른 것이 아니다. 엉덩이와 허벅지 부분을 단단하게 감싸고 종아리 아래로는 자유롭게 풀어놓는 부츠컷팬츠와 위는 여유가 있어서 활동성이 좋고 아래로 내려올수록 다리를 좁게 감싸는 배기팬츠는 착용감에 있어서도 완전히 반대다.

바지의 윤곽을 보더라도 그렇다. 이 두 바지의 윤곽을 보면 어떤 움직임이 느껴지는데, 조형예술에서는 그것을 '동세' 라고 표현한다. 아래로 내려올수록 넓어지는 부츠컷팬츠에서는 넓은 아랫부분에서 좁은 윗부분으로 상승하

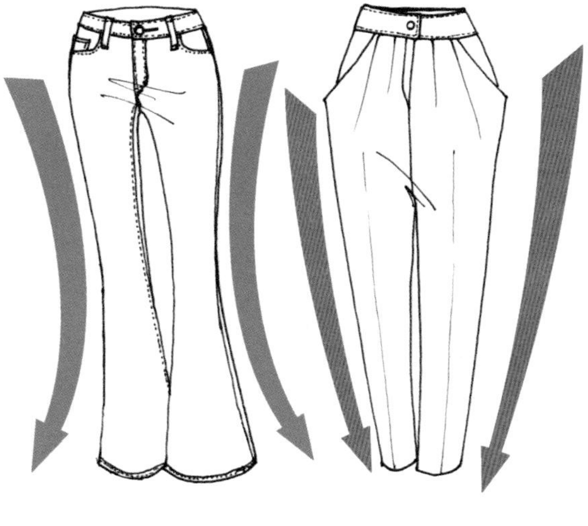

부츠컷팬츠와 배기팬츠의
서로 다른 동세와 그 효과

는 동세를 느낄 수 있다. 반면에 아래로 내려올수록 좁아지는 배기팬츠에서는 위에서 아래로 내려오는 동세를 느낄 수 있다. 동세의 방향이 서로 완전히 반대다.

모든 것이 반대이니 이 두 스타일은 전혀 공통점이 없어 보인다. 그런데 재미있는 것은, 이 두 가지 스타일이 결과적으로는 매우 유사한 시각적 효과를 불러일으킨다는 것이다.

위가 되었든 아래가 되었든, 두 종류의 바지 안쪽으로 흐르는 수직방향의 강한 동세는 궁극적으로는 옷을 입은 사람의 몸, 특히 다리를 길어 보이게 한다. 그래서 부츠컷팬츠나 배기팬츠를 입으면 실제보다 훤칠하고 늘씬해 보이는 것이다. 생긴 것은 완전히 반대지만 옷이 자아내는 효과는 같다.

서로 반대의 모양을 가진 옷이지만, 디자인적으로는 다리를 길어 보이게 한다는 같은 성격을 가지고 있는 것이다. 이처럼 몸과의 관계 속에서 옷을 파악하면, 아무리 많은 종류의 옷이 있다 하더라도 어렵지 않게 이해할 수 있다. 예컨대 다리를 길어 보이게 한다는 기준만 가지면 배기팬츠나 부츠컷팬츠와 더불어 다리를 길어 보이게 하는 수많은 유형의 바지를 일사불란하게 정리할 수 있다.

뿐만 아니라 자기의 몸을 효과적으로 담아낼 수 있는 옷을 골라 입는 것도 수월해진다. 다리가 길어 보이고 싶은데 엉덩이가 큰 편이라면 엉덩이 부분에 여유가 있으면서도 다리를 길어 보이게 하는 배기팬츠가 눈에 들어올 것이고,

그렇지 않다면 부츠컷팬츠가 눈에 들어올 것이다. 옷과 몸을 같이 보면 옷을 골라 입는 데 필요한 눈이 열리기 시작한다.

그런데 옷의 역할이 다리가 길어 보이게 하는 것밖에 없을까? 아니다. 옷은 얼굴이 작아 보이게도 하고, 어깨가 좁아 보이게도 하고, 허리가 잘록해 보이게도 한다. 세상의 모든 옷은 이렇게 입은 사람의 몸을 어떠어떠하게 보이도록 한다. 그러니 옷을 입을 때 먼저 고려해야 할 것은 옷이 아니라 어떻게 보이게 할 것인가를 정하는 것이다. 구체적인 옷은 그 다음에 선택하는 것이 순서다. 예를 들어 얼굴은 작아 보이면서 다리는 길어 보이는 가운데 품위가 있어 보이고 싶다든지, 어깨는 넓어 보이면서 다리는 가늘고 길어 보이게 하고 싶다든지 하는 전체적인 그림을 그리고 여기에 맞는 옷을 고르면 스타일이 잘 산다.

여기서 한 가지. 다리는 왜 짧아 보이지 않고 길어 보여야만 하는 것일까? 머리는 왜 크지 않고 작아 보여야 할까? 왜 S라인이 돋보여야 할까?

東과 西, 몸을 이야기하다

어떤 스타일이 되었든지, 길고 날씬한 다리를 장착한 몸매는 누구에게나 시원한 눈맛과 매력을 느끼게 해준다. 그래서 많은 사람이 옷으로 다리를 길어 보

신체의 비례가 드러나지 않으면서도
더없이 아름답고 다양한 인상을 보여주는 한복

이게 하기 위해 갖은 애를 다 쓴다. 그러다보니 모든 옷은 롱다리를 지향할 것 같지만, 세상의 모든 옷이 긴 다리나 아름다운 S라인 몸매로만 승부했던 것은 아니다. 한복을 보면 알 수 있다.

옷에 의한 옷

한복은 우리에게는 너무나 익숙해 오히려 빛을 발하지 못하고 있지만, 다른 나라의 옷들과 비교해볼 때 대단히 독특한 특징을 가지고 있다. 입으면 입체지만 벗으면 평면이 되는 구조도 그렇고, 사각형의 천을 이어서 만든 옷인데도 곡선미가 두드러지는 점은 정말 불가사의할 정도다. 그러면서도 그 어느

남성과 여성의 신체적 특징이 옷으로 드러난 서양의 고전의상

기능성을 중심으로 간략화된 현대의상

나라 옷에도 뒤지지 않을 만큼 뛰어난 아름다움을 가지고 있다.

한복은 신체의 그 어떤 부분도 드러내지 않으면서 아름다움을 표현하고 있다. 한복의 그 폭넓은 여유는 가는 팔이나 긴 다리, S라인의 허리곡선을 죄다 품어버린다. 그러면서도 때론 섹시해 보이고, 때론 경건해 보이고, 때론 화려해 보인다. 한복은 긴 다리와 잘록한 허리가 보이지 않아도 얼마든지 아름다울 수 있다는 것을 잘 보여준다. 100년 전, 아니 50년 전만 해도 우리나라 사람들이 보았던 것은 긴 다리가 아니라 옷과 몸이 어우러진 전체적인 맵시였다.

그런데 우리가 지금 입고 있는 옷은 전부 긴 다리나 S라인의 몸매를 드러내면서 옷의 아름다움을 표현하고 있다. 정확하게 말하면 옷의 아름다움보다는 몸의 아름다움을 향해 있다고 할 수 있다. 현대의상은 전부 서양에서 들어온 것이기 때문이다.

몸에 의한 옷

17세기 서양의 고전의상을 살펴보면 남성복은 어깨가 넓고 허벅지가 강조된 그런 남자의 신체적 특징들을 따르고 있고, 여성복은 반대로 가슴이 과장되고, 허리가 과도하게 가늘고 엉덩이가 뒤로 튀어나와 여성의 신체적 특징을 그대로 재현하고 있다. 서양의 옷은 이렇게 사람의 신체적 특징을 과장하고 치장하면서 발달되어왔다.

20세기에 들어오면서 변화가 생기기 시작했다. 샤넬을 전후로 활동했던 20세기 초기의 패션 디자이너들은 기능성을 제외하고는 옷에 있는 모든 장식과 군살을 빼버린다. 그리고 모든 옷을 허리선을 중심으로 윗도리와 아랫도리 두 쪽으로 나누었다. 입고 벗기 편하게 하기 위한 조치였다. 덕분에 그나마 풍성한 치마에 감싸였던 다리는 숨을 곳을 잃게 되었고, 다리의 길이나 몸의 비례가 허리선 아래로 선명하게 노출되었다. 더욱이 바지나 치마의 허리선이 몸을 반으로 나누다보니, 바로 그 아래에서 시작하는 다리는 길어 보이기가 어려워졌다.

그렇다고 옷이 신체의 아름다움을 포기하는 일은 없다. 그래서 현대인 특히, 현대 여성에게 다리 길이는 무척 신경 쓰이는 문제가 되었다. 숨길 곳 없어진 다리를 짧아 보이지 않게 한다는 것은 쉬운 일이 아니다. 게다가 코르셋과 풍성한 치마의 도움 없이 S라인의 몸매를 표현해야 하는 것도 부담스러운 일이다.

이런 문제를 해결하기 위해 현대 서양 패션이 어렵게 찾은 방법은 '비례의 착시효과'였다. 바지나 치마의 허리선이나 끝자락을 교묘하게 조정하여 다리를 길어 보이게 한다든가, 재킷의 허리선을 위로 좀 올려서 다리도 길어 보이고 허리도 가늘어 보이게 한다든가, 네크라인을 깊게 파서 목을 길어 보이게 하면서 신체의 단점을 보완한다. 좀 꼼수처럼 보이긴 하지만 장식을 뺀 현대 패션은 이런 교묘한 착시효과를 구사해가면서까지 8등신의 아름다움을 표현하려 하고 있다.

몸인가, 옷인가?

같은 옷이라도 동아시아와 서양은 확연히 다르게 접근하고 있었다. 우리나라 같은 동아시아에서는 옷을 옷으로 접근했고, 서양은 옷을 몸으로 접근했다. 그런데 가슴 아프게도 우리는 지금 몸의 아름다움을 드러내는 서양식 현대의상을 그대로 따르고 있다. 가슴 아프다고 표현한 것은 이러한 서양식 옷을 소화하기에는 우리의 몸이 확연한 8등신을 갖춘 서양인에 비해 매우 불리하기 때문이다.

어차피 한복으로 다시 돌아갈 수는 없지만, 서양인에 비해 긴 허리와 짧은 다리를 가지고 있는 우리는 어쩔 수 없이 서양인의 8등신을 흉내내야 하는 입장이 되었다. 서양인보다 몇 배는 힘든 상황인 것이다. 옷으로 가려야 할 신체의 단점이 대단히 크기 때문에 옷을 잘 입기가 상대적으로 그만큼 더 힘들어진 것이다.

하지만 프랑스나 이탈리아에서 유행하는 스타일 혹은 〈섹스 앤 더 시티〉에 나온 스타일이라는 유혹에 무기력해지는 것 또한 우리의 현실이다. 그러나 진정 옷을 잘 입고 싶다면 지금 유행하는 스타일보다는 자기의 몸을 먼저 알고 단점을 극복하는 것이 먼저다. 그러기 위해서는 우선 서양 옷이 추구해왔던 8등신 인체의 아름다움이 무엇인지 소상히 이해할 필요가 있다.

2 몸, 아름답다

서양의 옷은 왜 사람의 몸을, 인체의 해부학적 특징을 따르게 되었을까? 이것은 단지 옷만의 문제가 아니다. 그 뒤에는 패션을 넘어서는 서양문화의 어떤 보편적 특징이 자리잡고 있다.

서양에서 온 아름다운 몸

다 큰 처녀들이 배꼽을 훤히 드러내고, 미끈한 다리를 최대한 보여주려는 요즘 옷을 보면 아무래도 도덕적 잣대를 만지작거리기가 쉽다. 하지만 이 뒤에는 노출증이나 성적 욕망 같은 삐뚤어진 정신적 문제가 자리잡고 있는 것이 아니라, 고대 그리스 시대부터 이어져온 아름다움을 바라보는 서양인의 태도가 작동하고 있다.

고대 그리스 시대부터 서양인들은 아무것도 안 입은 남녀의 나체상을 리얼하게 만들어서 대중 앞에 우뚝 세워놓았다. 인체야말로 세상에서 가장 아름다운 피사체라고 생각했기 때문이다. 그래서 노출 때문에 도덕적 · 사회적으로 문제가 생긴 적은 없었다. 오히려 건강한 신체와 그 속에 담긴 비례의 아름

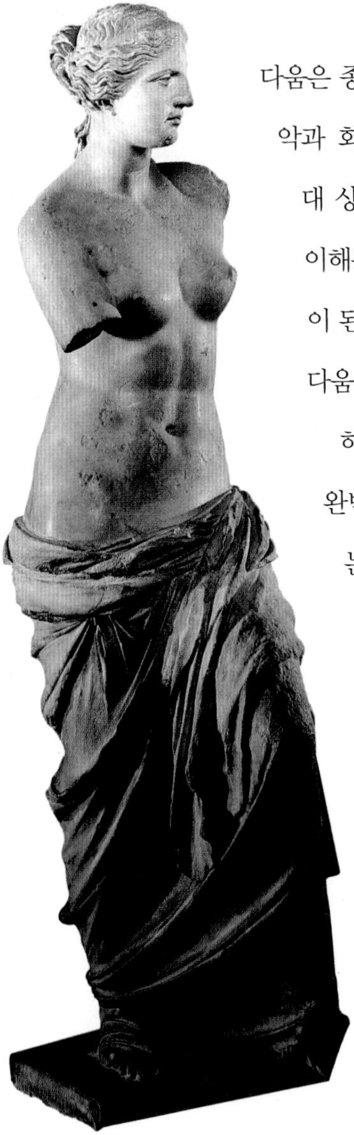

인체의 아름다움이 최고로 구현된 밀로의 비너스

다움은 종교적 차원으로까지 논의되었고, 건축과 음악과 회화로 파급되어나갔다. 동아시아에서는 절대 상상할 수 없던 일이었다. 인체에 대한 이런 이해는 이후로 펼쳐질 서양문화의 피가 되고 살이 된다. 당연히 패션에서도 육체의 숭고한 아름다움을 추구하는 것이 중요한 목적이 되었다.

하지만 그리스 · 로마 시대에는 아직 옷으로 완벽한 신체의 아름다움을 표현하는 정도까지는 발전하지 못했던 것 같고, 게다가 로마가 멸망하고부터 15세기 르네상스가 도래하기 전까지는 기독교가 인간의 몸을 아주 혐오스러운 것이라 치부해 몸매를 드러내는 옷을 찾아보기 어려웠다.

하지만 인본주의로 시작된 15세기 르네상스 시대에 들어서면서 인간의 몸이 다시 문화의 중심에 놓인다. 여기에 결정적인 역할을 했던 것이 바로 해부학이다. 미켈란젤로나 레오나르도 다빈치와 같은 천재 예술가들은

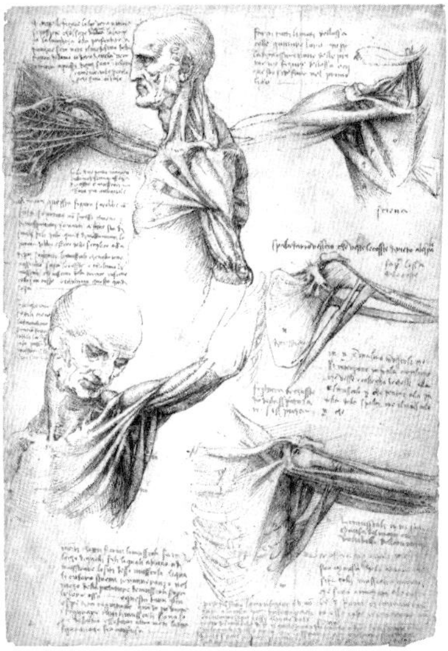

해부학에 대한 레오나르도 다빈치의 과학적 연구

라파엘의 생생한 인체 표현

천년 넘게 단절되었던 인체에 대한 연구를 과학적 방법으로 다시 시작했다. 그 결과 인체 구조에 대한 많은 의문과 구조적인 아름다움이 해부학을 통해 밝혀졌다. 미켈란젤로의 아름다운 인체 조각이나 라파엘 · 다빈치의 생생하고 우아한 인체 묘사는 전적으로 이러한 해부학 덕이라 할 수 있다.

당연히 패션에서도 해부학적으로 규명된 완벽한 인간의 모습을 추구하게 된다. 그 증거가 바로 '입체 패턴' 이다. 사람의 몸은 입체고 옷을 만드는 천은 평면이다. 평면적 재료를 가지고 입체적인 사람의 몸을, 그것도 완벽해 보이게 만든다는 것은 돌을 깎거나 물감을 칠해서 표현하는 것과는 완전히 다른 어려움이 따른다.

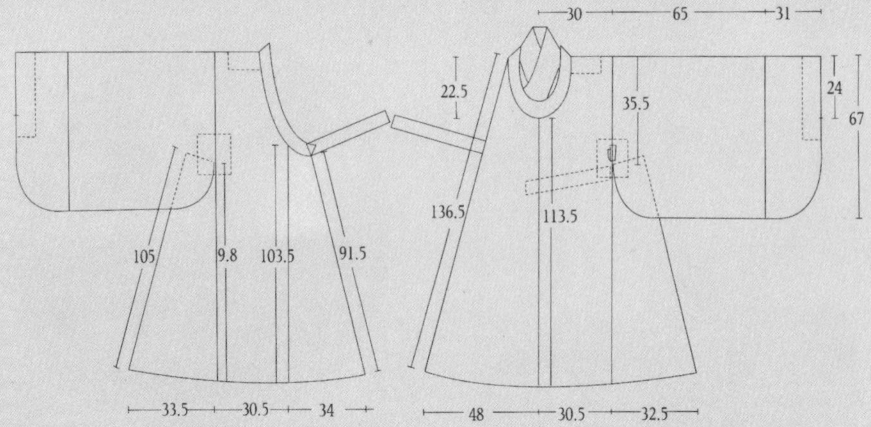

동아시아의 평면 패턴과 서양의 입체 패턴

몸에 대한 해부학적 이해가 없다면 접근조차 어려웠을 문제였다. 그리고 인체의 아름다움을 평면의 천을 통해 실현하려는 적극적인 노력이 없었다면 만들어질 수 없었던 것이 바로 입체 패턴이다.

그 전까지는 서양에서도 동아시아와 마찬가지로 평면 재단으로 옷을 해 입었다. 입체 패턴이 어느 정도 자리를 잡고, 인체의 아름다움을 본격적으로 표현하기 시작한 것은 르네상스 시대를 지나 17세기 절대왕정기에 이르러서였다. 동아시아에서 이런 입체 패턴의 전통을 볼 수 없는 것은 기술이 떨어져서가 아니라 사람의 몸을 보는 입장이 달랐기 때문이다.

이런 이유로 서양의 패션에서는 일찌감치 남자나 여자의 신체적 특징을

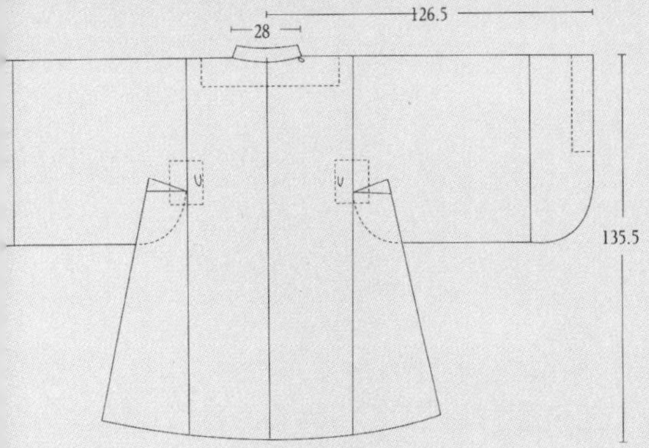

옷에 적극적으로 반영하려 했으며, 그 결과 화려한 입체 패턴의 기교를 발전시키게 된다.

여성만의 특징인 봉긋한 가슴과 가느다란 허리를 강조하기 위해 몸에 달라붙게 만든 상의에 치마는 넓게 퍼지는 드레스는 중세부터 발전되어왔다. 사람의 몸 중에서도 여성의 상체가 가장 굴곡이 심한데, 여성의 상체에 딱 달라붙는 패턴을 정복하고 나니 엉덩이나 어깨 등 다른 신체 부위의 형태를 자유자재로 변형하는 것이 쉬워졌다. 로코코의 여왕 마리 앙투아네트의 로브 아 라 프랑세즈나 스칼렛 오하라의 크리놀린 드레스, 빨강 머리 앤이 그토록 입고 싶어 한 '어깨 뽕발' 날리는 원피스 등이 이러한 해부학적 지식 위에서 서양 복식의 한 패턴으로 든든하게 축적된다.

인체의 아름다움을 표현하려 했던 서양의 복식전통은 요즘 우리가 입는 옷에도 그대로 이어졌다. 오늘날 우리가 아무 생각 없이 S라인이나 롱다리 패션을 추구하는 것처럼 보이지만 이것은 모두 고대 그리스 시대부터 내려오는 서양의 미학적 전통에 입각하여 형성된 것이다.

설사 밀로의 비너스를 한 번도 보지 못한 사람이라고 하더라도 다리가 길어 보이고 싶고 허리가 가늘어 보이고 싶다면, 고대 그리스 시대의 예술가나 르네상스 시대의 예술가들이 가졌던 인체에 대한 미적 취향과 거의 같다고 할

여러 형태의 서양 복식

수 있다. 현대의 옷에 그런 서양의 인체관이 녹아들어 있기 때문이다. 현대의 서양식 옷을 입으면서 자연스럽게 그런 서양의 인체관에 젖어들게 되었던 것이다.

어찌 되었든 그것이 우리의 현실이라면 우리가 알아야 할 것은 서양인들이 생각해온 신체의 해부학적 아름다움이 어떤 것인가 하는 것이다.

아름다운 몸의 비밀, 비례

미켈란젤로가 만든 조각상들을 보고 있으면 사람의 몸이야말로 세상에서 가장 아름답다는 생각이 절로 든다. 그런데 이 조각상은 왜 아름다워 보이는 것일까?

고대 그리스 시대부터 서양인들은 인체의 이러한 아름다움이 비례에서 나온다고 보았다. 어떤 것의 길이나 크기에 대한 다른 어떤 것의 크기 관계, 그것을 '비례'라고 한다. 구체적으로 아무것도 더해지거나 빼지 않았음에도 불구하고 상대적인 길이나 크기가 조금만 바뀌어도 아름다워 보이기도 하고, 그렇지 않아 보이기도 하는 것이 비례의 마술과도 같은 힘이다. 성형을 생각하면 비례가 얼마나 중요한지 피부로 느낄 수 있다. 눈 앞트임 몇 밀리미터만 했을 뿐인데, 코 몇 밀리미터만 세웠을 뿐인데 인상이 확 업그레이드되고, 주변

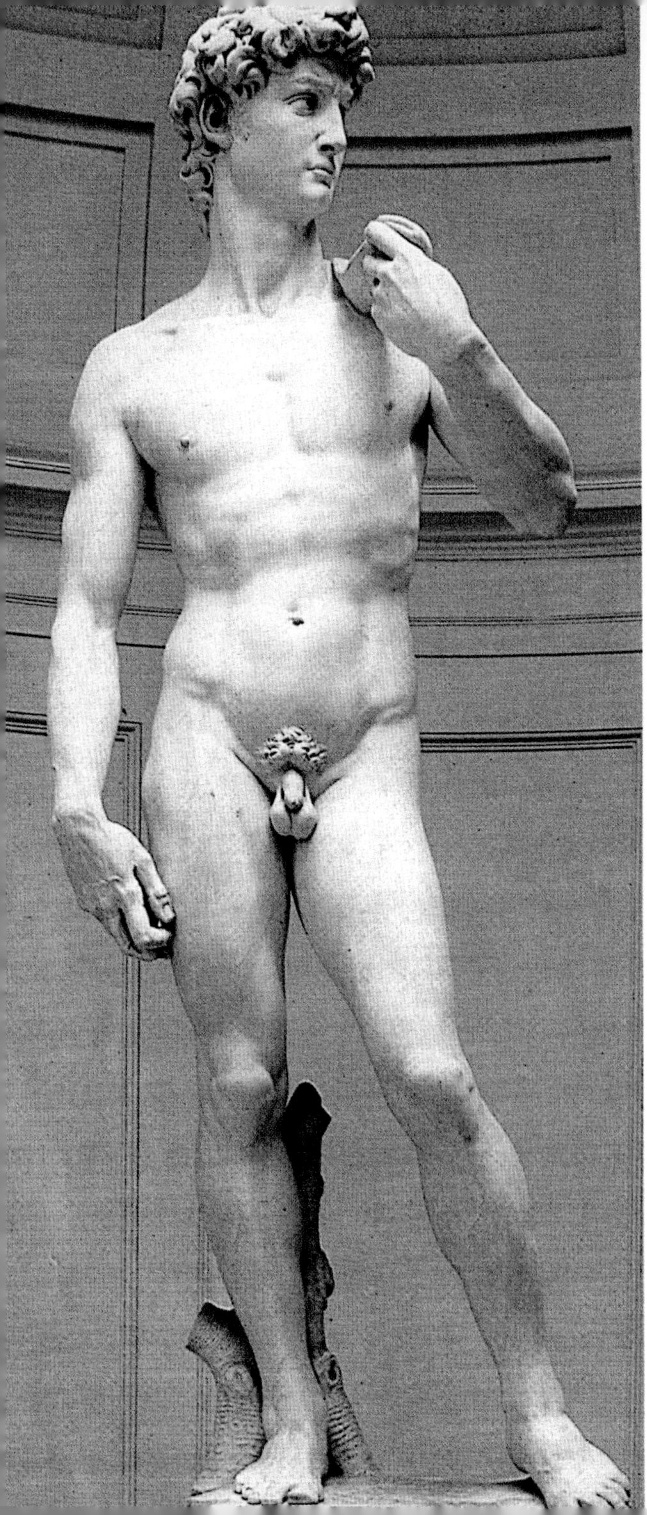

다비드 상을 통해 본
8등신의 아름다움

의 시선이 확 달라진다. 이것이 바로 비례의 힘이다.

그런데 그리스 시대 이후로 서양인들은 사람의 몸이 세상 그 어느 것보다도 아름다운 비례를 가지고 있다고 생각했다. 그것을 증명할 수 있는 구체적인 비례의 값도 확보했다. 예를 들면 미켈란젤로의 다비드상이 아름다워 보이는 이유 가운데 하나는 다리 길이가 다리 윗부분의 상체 길이와 같기 때문이다. 이런 식으로 서양인들은 아주 오래 전부터 사람의 몸에 대한 복잡하지만 명료한 비례체계를 가지고 있었다. 그런데 복잡한 인체의 비례관계 중에서도 가장 결정적인 역할을 하는 것은 머리와 다리의 비례이다.

그리스의 조각가 폴리클레이토스(Polykleitos)는 자신의 저작 〈카논(Cannon)〉에서 머리가 전신의 약 7분의 1을 차지할 때 가장 아름다워 보인다고 했다. 그리고 리시포스(Lysippos)라는 조각가는 지금은 상식이 되어버린 8등신론을 주장했다. 머리가 인체에서 차지하는 상징적인 비중 탓도 있겠지만, 하여간 머리의 크기는 인체의 아름다움을 결정하는 데 대단히 중요한 역할을 하고 있다. 너무 작아도 안 좋고, 너무 커도 나쁘다. 꼭 그리스의 조각가를 들먹이지 않더라도 신체에서 머리의 길이가 8분의 1 정도 즉, 8등신인 사람은 언제 어디서 보아도 멋있고 아름다워 보인다.

그러나 머리 크기는 8등신 미학의 시작일 뿐이다. 8등신의 아름다움은 기나긴 다리에서 진정 완성된다.

우리의 몸을 세로로 크게 구분해보면(8등신이라고 쳤을 때), 작은 머리, 그 아래에는 그것보다는 조금 긴 상체가 있고, 또 그 아래에는 상체보다 조금 더 긴 다리가 있다. 아래로 내려갈수록 단계적으로 길어진다. 이렇게 길이의 변화에 시각적 가속도가 붙기 때문에 다리의 길이는 실제보다 더 길어 보이고, 키도 더 커 보인다. 롱다리는 다리의 길이에만 관계하는 것이 아니라 몸 전체를 훤칠하게 만든다. 그러니 롱다리를 선호하는 것은 조형적으로 꽤나 합리적이다.

하지만 조금이라도 다리가 짧아지면 이 모든 질서는 단박에 뒤집힌다. 머리가 아무리 작아도 소용없다. 상체보다 다리가 짧아지면 머리에서 상체, 다리로 내려오던 비례의 가속도가 한순간에 사라져버린다. 전체적으로 훤칠한 인상은 기대할 수 없고, 오히려 짧은 다리가 긴 상체와 대비되어서, 상체를 더

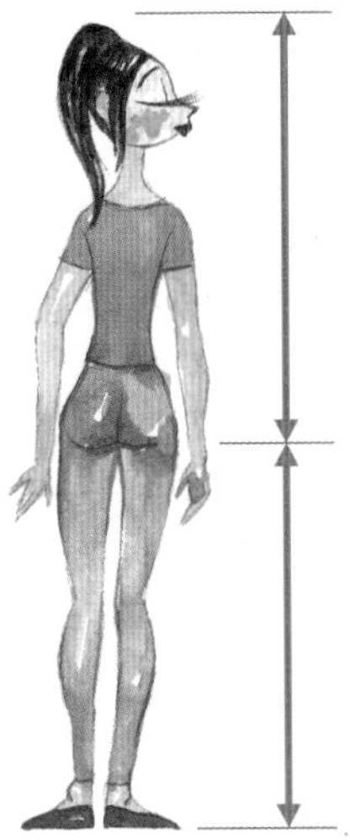

머리 · 상체 · 다리로
내려올수록 길어지는
다리의 비례

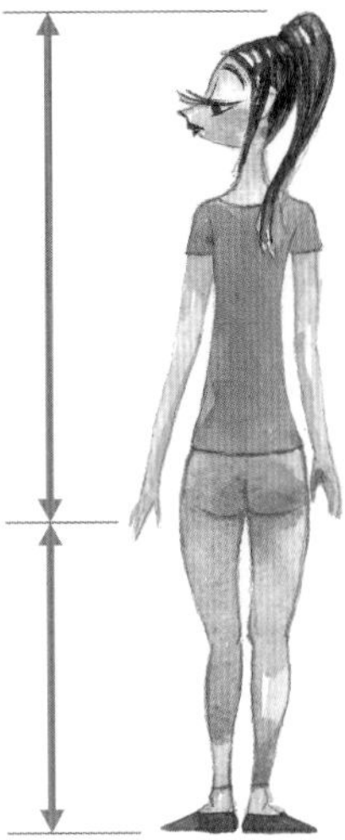

짧은 다리와
긴 상체의 비례

길어 보이게 하고 다리를 훨씬 더 짧아 보이게 한다. 실제보다 키도 더 작아 보이고 옷차림새도 영 태가 나지 않는다.

이것을 보면 긴 다리는 몸의 비례미를 쥐고 있는 열쇠라 할 수 있다. 그렇기 때문에 옷을 입을 때 무엇보다 먼저 챙겨주어야 하는 것은 다리의 길이이다. 다리가 일단 최대한 길어 보이게 해놓으면 그 위에 옷을 매치하는 일은 한결 수월해진다. 인체 비례의 핵심을 확보해놓았으니 말이다.

이런 이유에서인지 하의는 대부분 다리를 길어 보이게 디자인되어 있으니, 이를 잘만 활용하면 어렵지 않게 다리를 길어 보이게 할 수 있다.

다리를 길어 보이게 하는 비법들

다리를 길어 보이게 하는 방법에는 여러 가지가 있지만 구체적인 방법을 살펴보기보다는 비례로 원리를 이해해보자. 사람의 몸을 보고 다리 길이를 짐작하게 만드는 것은 허리의 위치와 발끝의 위치이다. 이 위치를 통해 옷 입은 사람의 다리 길이를 대략 짐작하고, 몸매가 어떤지 판단한다. 그러니 다리를 길어 보이게 하려면 이 포인트를 잘 조절해주어야 한다.

허리의 위치를 살짝 올려주든지, 발의 위치를 약간 내려주면 자연스럽게 다리가 길어 보인다. 앞서 살펴본 부츠컷팬츠는 바로 발의 위치를 모호하게 함으로써 다리의 길이를 길어 보이게 만드는 사례이고, 서인영이 입고 나왔던 배바지는 그 반대 즉, 허리선을 위로 높여서 다리를 길어 보이게 하는 사례이다.

하의뿐 아니라 상의의 도움으로 다리를 길어 보이게 만드는 경우도 있다. 재킷으로 바지 윗단을 가리고 재킷의 허리선을 약간 높여주면 역시 다리가 길어 보인다.

원피스로도 가능하다. 원피스는 상체와 하체에 모두 개입하며 몸 전체를 튜브처럼 감싸기 때문에 허리선에서 착시효과를 연출하기가 좋다. 실제의 허리선보다 살짝 위쪽으로 허리선이 들어가 있는 원피스를 입으면 그 아래로 다리가 기다랗게 이어진 것처럼 보인다. 단, 이럴 때 엉덩이 위치가 노출되어서는 안 된다.

이상의 옷은 모두 허리나 발의 위치에 직접적인 변화를 주는 경우지만, 역발상으로 아예 허리나 발의 위치를 모호하게 만들어서 다리 길이를 상상케 만

바지 윗단을 재킷으로 가리고 재킷의
허리선으로 다리를 길어 보이게 하는 방법

드는 고차원의 착시효과도 있다.

엠파이어원피스는 아예 가슴 부분에서 스커트가 시작되기 때문에 허리선이 없다. 그래서 다리의 길이가 잘 측정되지 않는다. 오히려 가슴 아래부터 내려오는 긴 스커트가 다리를 아주 길어 보이게 한다. 이렇게 허리선을 없앰으로써 다리가 길어 보이게 하는 것이 이 스커트의 특징이다. 허벅지 중간쯤에서 다리를 갈라지게 해서 극단적으로 다리를 짧아 보이게 하는 바지도 같은 효과를 얻는다. 인간의 다리가 이렇게 짧을 수는 없으니 이 바지를 입은 사람을 정말 숏다리(?)로 보는 사람은 없다. 오히려 다리의 길이가 어느 정도인지 아예 예측할 수 없으니 이런 바지를 입은 사람의 다리를 짧다고 느끼지는 않는다.

원피스의 허리선을 높여서 다리를
한 없이 길어 보이게 하는 경우

허리와 다리를 가려서 오히려 다리가 길어 보이는
엠파이어 스타일의 스커트와 일명 항아리 바지

이 외에도 다리를 길어 보이게 하는 방법은 수없이 많다. 모든 방법에 돋보기를 들이대서 하나하나 살펴보는 것도 좋지만 핵심원리만 이해하면 자신이 원하는 방향으로 다리를 길어 보일 수 있는 방법을 만들 수 있다.

이처럼 인체의 아름다움에서는 다리의 비례가 중요하며, 다리의 길이를 길어 보이게 하고자 할 때는 허리와 발의 위치를 어떤 식으로든 챙겨야 한다는 것만 잘 이해하도록 하자.

몸의 구조

비례를 대략 이해하고나면 몸의 구조와 마주하게 된다. 옷의 모양은 몸의 구조에서 유래한다. 따라서 옷을 이해하기 위해서는 몸의 구조를 파악하는 것이 우선이라 할 수 있다. 그렇다면 우리의 몸은 어떤 구조적인 특징들을 가지고 있을까. 특히 여성의 몸은 어떤 특징을 가지고 있을까?

인체를 조각작품으로 만드는 S라인

남자와 여자의 몸을 실루엣으로 보면 '화성에서 온 남자, 금성에서 온 여자' 라는 말이 사실처럼 여겨질 정도로 공통점이 별로 없어 보인다.

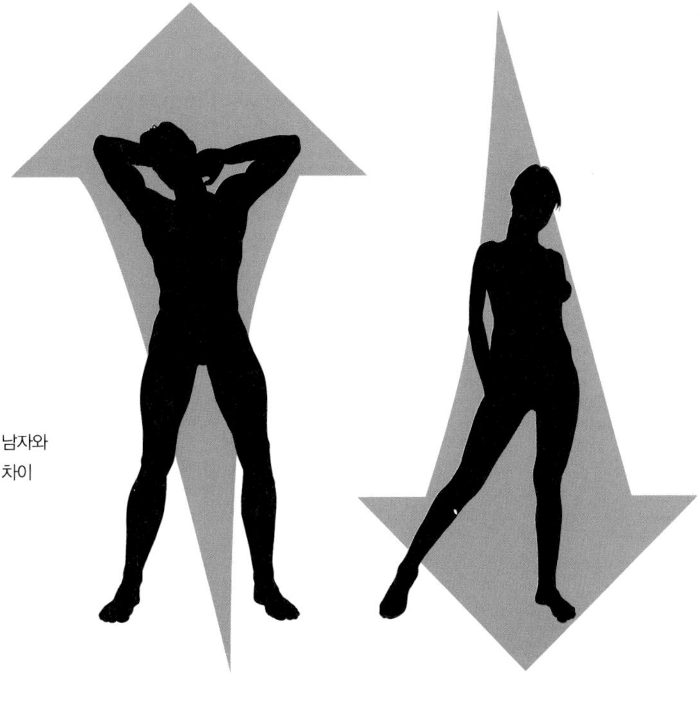

실루엣으로 본 남자와 여자의 신체적 차이

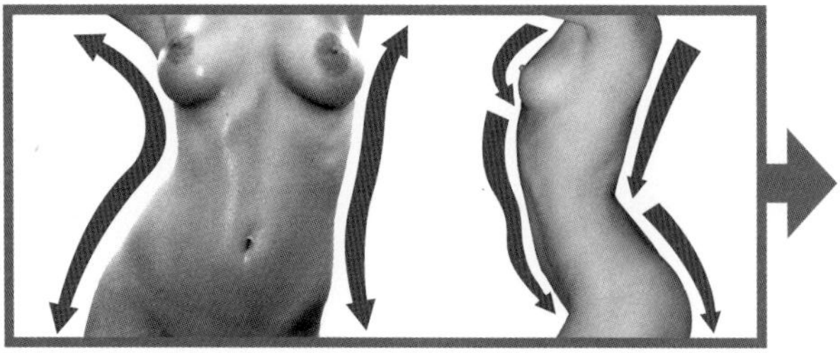

여성의 몸이 가지는 다이내믹한 곡선의
아름다움과 그것을 반영한 여성복

남자의 몸은 어깨 쪽으로 갈수록 넓어지고, 여자의 몸은 가슴과 엉덩이가 튀어나오고 허리가 들어가 있다. 따라서 몸의 전체적인 인상도 전혀 반대로 나타난다. 남자의 몸이 직선적이고 평면적인 인상을 준다면 여자의 몸은 곡선이면서 입체적인 인상을 준다. 몸에서 이미 여자는 부드럽고 우아해 보이고, 남자는 강하고 딱딱해 보인다.

특히 여자의 몸은 앞에서 봐도, 옆에서 봐도 굴곡이 심한 S라인을 이루고 있다. 그냥 S라인이 아니다. 가슴에서 튀어나왔다가 허리 부근에서 안으로 말려들어간 선은 다시 엉덩이 쪽으로 급격하게 휘어져나와 격정적인 선의 변화를 보여준다. 이것만으로도 대단히 아름답다. 그런데 여기서 끝이 아니다. 좌

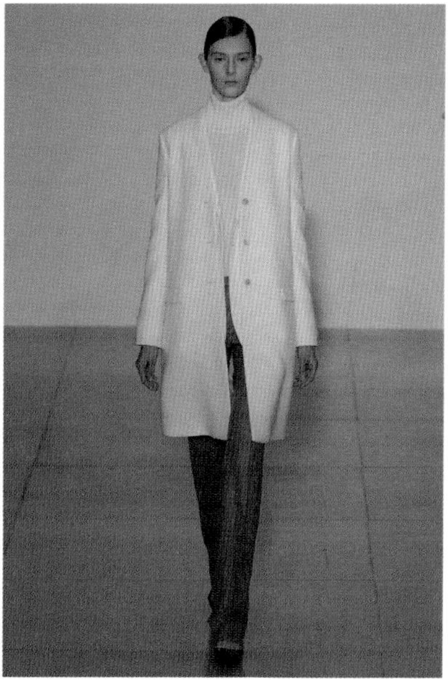

몸매의 윤곽이 잘 드러나지 않는
옷을 입으면 차분하고 정숙해 보인다

우 · 상하로 격정적으로 움직이던 상체의 곡선은 대퇴부에 이르러서는 마치 절벽을 만난 폭포수처럼 빠른 속도로 수직강하한다. 그래서 전체적으로 상체는 좌우로 짧게 휘어지는 곡선이 아름답고, 하체는 수직에 가까운 운동을 하는 완만한 곡선이 아름답다.

이렇게 위아래로 전혀 다른 흐름이 대비되기 때문에 여성의 몸매는 남자들의 몸매보다 더 극적으로 보인다. 이처럼 여성의 몸매는 하나의 조각작품이라고 해도 손색이 없을 정도로 아름다워 보일 수 있는 조건을 다 갖추고 있다. 과연 그리스 사람들이 돌로 만들어 숭배했을 만하다. 남자의 몸매보다도 여자의 몸매가 훨씬 아름다워 보이는 데에는 이런 이유가 있다.

여성복은 대개 여성의 이런 아름다운 신체의 특징을 고려하여 디자인되고 있으며, 그래서 옷을 입는다는 것은 여성의 아름다운 몸매를 드러내는 일이라고 해도 과언이 아니다.

당연한 말인 것 같지만 옷에서 여자나 남자의 신체적 특징이 강조되면 될수록 여성스러움이나 남성스러움이 강화되는 것을 알 수 있다. 예를 들어 옷에서 가슴과 허리, 엉덩이로 내려오는 곡선의 웨이브가 커질수록 여성스러움이 고조된다. 그래서 여성복은 대체로 허리가 잘록하고 가슴과 엉덩이가 강조되는 곡선의 아름다움을 추구한다.

그러나 여성의 신체적 매력을 강화하는 것만이 패션의 전부는 아니다. 섹시한 아름다움도 중요하지만 정숙하고 고상한 아름다움도 여성적 아름다움을 구성하는 중요한 덕목 중에 하나다. 전자가 육체와 관련된 아름다움이라고 한다면, 후자는 정신과 관련된 아름다움이다. 때때로 여성의 정신적 매력을 두드러지게 해야 할 때가 있다. 그럴 때는 몸매를 드러내는 선들을 옷에서 모두 가려주는 게 좋다.

비즈니스 활동을 주로 하는 여성이나 결혼식이나 장례식 같이 격식을 차려야 할 자리에 갈 때는 보통 허리 라인 없이 일자로 내려오는 재킷을 입는 경우가 많다. 이렇게 몸매의 윤곽이 두드러지지 않는, 일견 밋밋해 보이는 옷을 입으면 섹시함은 증발해버리지만 더없이 경건하고 정숙한 스타일이 만들어진다. 옷차림에서 육체의 흔적이 잘 드러나지 않는 대신에 그 틈새로 정신적 아름다움이 스며들게 된다.

몸매가 드러나도록 옷을 입든지, 드러나지 않게 입든지 이처럼 몸의 구조를 먼저 이해하고 옷을 대하면 몸매를 따르는가, 몸매를 가리는가 하는 두 가지 선택권이 생긴다. 이렇게 논리를 가지고 옷을 챙기면 옷을 보는 눈도 달라지고, 자기의 몸에 옷을 맞추어 입을 수 있는 역량 또한 자연스럽게 발전하게 된다.

사람의 몸 특히, 여성의 몸은 전체적으로 상체에서 하체까지 역동적인 S 라인이 흐르는데, 이 흐름을 어떻게 살리는가 하는 것이 옷을 입을 때의 핵심 사항이다.

몸의 전체적인 구조는 이렇다. 좀더 세밀하게 살펴보면 인체의 각 부분 또한 구조적으로 중요한 특징을 가지고 있는데, 이 또한 옷을 입는 데 중요한 변수가 된다.

상체의 윗부분, 이미지를 결정하다

상체 맨 윗부분은 몸의 구조 중에서도 가장 복잡하다. 목과 어깨와 가슴 등이 다양한 방향으로 연결되어 있기 때문이다.

목은 수직방향으로 내려오고, 어깨는 완전히 반대인 수평방향으로 연결된다. 그리고 그 끝에 팔이 수직방향으로 붙어 있고, 쇄골 아래로는 가슴이 앞쪽으로 튀어나오면서 이어진다. 연결되는 몸의 요소도 많지만 각각의 부분이 다양한 동세를 이룬다.

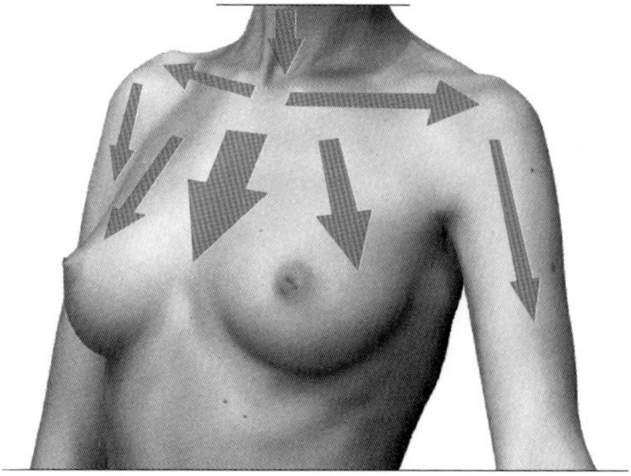

상체의 복잡한 구조

상체의 복잡한 구조를 그대로 따르는 재킷

그래서 우리가 입는 옷 중에 상의, 예를 들면 셔츠나 재킷은 상체의 모양을 그대로 따르기 때문에 가장 복잡하게 생겼다. 칼라의 모양과 각도, 앞판과 뒤판의 연결, 어깨선과 팔의 연결 등 복잡한 구조로 인해 풀어야 할 문제가 많다. 그래서 서양의 입체 패턴 기교가 가장 많이 펼쳐지는 부분이 바로 상의이다.

복잡한 것도 복잡한 것이지만, 이 부분이 다른 부분에 비해 유독 중요한 것은 몸매나 옷차림의 인상을 결정하기 때문이다. 얼굴과 가장 가까이 있기 때문이기도 하지만, 여기에 모여 있는 목의 길이와 굵기, 어깨선의 각도, 가슴 부분의 모양은 사람이나 옷차림의 전체 이미지를 결정해버린다. 예를 들어 목이 굵어 보이거나 목이 가늘어 보이는 사람의 인상은 전혀 다르다. 어깨선도 마찬가지다. 곡선으로 부드럽게 흐르는가, 직선으로 당당한가에 따라 사람의 인상이 전혀 달라진다.

예를 들어 셔츠의 칼라모양이나 네크(neck)라인을 조절하면 목의 두께나 길이가 달라 보인다. V자로 깊이 파인 네크라인의 옷을 선택하면 목이 실제보다 길어 보이고, 턱 바로 아래까지 오는 터틀넥의 옷을 입으면 목이 두꺼워 보인다.

어깨선 또한 그렇다. 어깨선이 수평에 가까운 각도로 넓게 퍼져나오는 재킷을 입으면 어깨가 넓어 당당해 보일 수 있고, 어깨선이 곡선을 이루면서 많이 기울어져 있으면 어깨가 좁아 여성스러워 보일 수 있다.

이처럼 상체의 부분들을 잘 이해하고 옷을 입으면 자신이 원하는 분위기

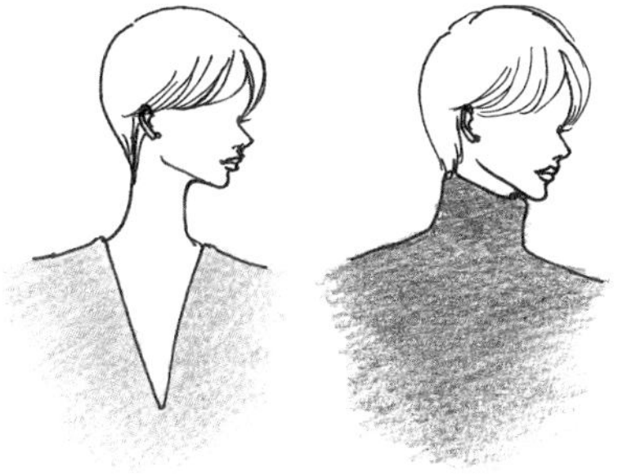

목 처리에 따른 이미지 차이

같은 몸이라도 어깨선 처리에 따라 달라지는 이미지

를 비교적 수월하게 표현할 수 있다. 복잡한 구조를 가지고 있는 대신에, 옷으로 변화를 줄 수 있는 여지 또한 많은 것이 상체의 윗부분이다. 하지만 무엇보다 옷차림 전체의 이미지를 좌우하는 부분이기 때문에 옷을 잘 입으려면 제대로 이해하고 넘어가야 한다.

라인을 결정하는 갈비뼈와 골반의 사이

가슴을 타고 비스듬히 내려오던 선이 갈비뼈 바로 아래서부터 갑자기 방향을 안쪽으로 바꾸어 탄탄한 복근으로 이어져서는 미끄러지듯 골반 아래로 연결된다. 선의 속도감이나 아름다운 궤적은 그야말로 환상이다. 매끈하게 흐르는 복근의 아름다운 선은 웬만한 각선미에 버금간다. 하지만 갈비뼈 아랫부분이 갈비뼈보다 바깥으로 나오면 불행이 시작된다. 모든 아름다움은 아랫배의 존재감과 더불어 순식간에 사라져버린다.

배는 왜 나오는 것일까? 나이에 비례해서 서서히 자기 존재를 알리는 배는 여간 신경 쓰이는 부분이 아니다. 하지만 심각한 정도가 아니라면 어느 정도는 옷으로 커버할 수 있다. 우선 배가 나오게 되는 몸의 구조를 이해하자.

배가 대책 없이 나오는 이유는 갈비뼈와 골반 사이를 막아주는 것이라고는 근육 말고는 아무것도 없기 때문이다.

식스 팩이라 불리는 복근을 몸짱을 위한 필수 장착품으로만 생각하지만 해부학적으로 식스 팩은 갈비뼈와 대퇴골이 지켜주지 못하는 내장과 배의 피하지방이 흘러내리지 않게 막아주는 벽이다. 뼈가 아니니 웬만큼 단단하지 않고서는 내장의 무게를 막아내기가 어렵다. 게다가 식스 팩이라는 방어벽이 누구에게나 있는 것도 아니기 때문에 대부분의 사람은 중력을 버티지 못하는 내장, 그리고 그 앞에 있는 피하지방과 버겁게 맞서고 있는 실정이다.

아무튼 튀어나온 배는 목에서부터 시작되는 균형 잡힌 몸매의 흐름을 완전히 훼손한다. 직선으로 상승하는 남자의 몸에 둥글게 배가 튀어나온다든지, S라인으로 유유히 흐르는 여자의 몸에서 갑자기 아랫배의 곡선이 부각되면 몸매의 아름다운 질서는 완전히 깨져버린다. 깨끗한 하얀색 물감에 검은 색이 조금이라도 섞이면 순식간에 하얀색의 정적이 깨지는 것과 같다.

이런 문제를 해결하기 위해서 나온 것이 바로 '코르셋' 이다. 허리를 강제

위로는 갈비뼈, 아래로는 골반을
두고 서서히 나올 수밖에 없는 배

튀어나온 배의 선을 하의의
선으로 연결하는 착시효과

로 가늘게 만들어서 황금비례의 몸매를 유지하려는 자구책이었다. 하지만 현대사회에서 코르셋을 동원할 수는 없고, 대신 옷을 통한 여러 가지 착시효과를 활용해서 허리를 가늘게 보여야 한다. 생각할 수 있는 가장 대표적인 방법은 서서히 나오는 아랫배의 곡선을 하의의 선과 합치는 것이다.

윗부분에 장식이 있는 치마나, 각도가 가파른 치마를 매치하면 웬만큼 배가 나와도 어느 정도 커버할 수 있다. 물론 운동을 통해 복근이 벽의 역할을 할 수 있도록 아랫배를 안으로 집어넣는 것이 가장 좋겠지만….

섹시한 골반의 아름다움

기능적으로 보면 골반은 척추뼈와 대퇴골을 연결하는 몸의 중심점이다. 물론 바지나 치마가 흘러내리지 않게 하는 역할도 뺄 수 없다. 그러나 옷차림 중심으로 보면 골반은 섹시함이 분출되는 중요한 창구역할을 한다.

골반의 앞쪽은 날렵하게 흐르는 복근이 아름다움을 책임지고 있고, 척추가 골반과 연결되는 지점에서부터 시작되는 두툼한 엉덩이 근육은 골반의 뒷부분을 책임진다.

골반의 구조는 그릇과 같다. 비스듬하게 기울어진 그릇. 그렇기 때문에 골반의 앞쪽으로 배가 쏟아지듯 나오게 되는 것이다. 반대로 골반뼈의 뒷부분은 대부분 막혀 있다. 그런데 엉덩이는 무엇 때문에 도톰하게 튀어나오는 것일까?

남녀 모두에게 엉덩이는 성적 매력을 발산하는 중요한 부분이다. 그런데 이 엉덩이는 건조하게 말하자면 골반의 뒷부분, 오목한 부분을 채우고 있는 근육덩어리이다.

골반이 시작되는, 그러니까 허리 바로 아랫부분 벨트가 걸리는 뼈에 엉덩이 근육이 마치 커튼이 매달린 듯 연결되어 있다. 엉덩이 근육의 아랫부분에는 아무 것도 받쳐주는 것이 없다. 그래서 허리 아랫부분의 모양은 순전히 엉덩이 근육에 의해서 결정된다. 이러한 사실은 크게 두 가지 현상을 초래한다.

탄력 있는 근육의 볼륨으로 몸의 다른 부분에서는 찾아볼 수 없는 부드러우면서도 힘이 있는 3차원의 곡선미가 만들어진다. 엉덩이가 다른 부분에 비해 섹시해 보이는 것은 이 때문이라고 할 수 있다. 하지만 엉덩이 근육에 탄력이 떨어지면 엉덩이 근육은 중력방향으로 대책 없이 늘어져 오히려 아름다움

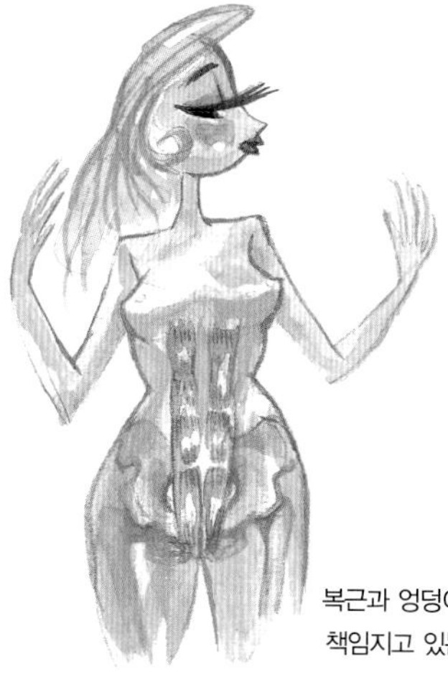

복근과 엉덩이선이 앞뒤의 아름다움을
책임지고 있는 그릇 같은 골반의 구조

골반의 뒷부분과
엉덩이 근육의 연결

을 방해한다. 엉덩이가 커지거나 쳐지는 것은 뼈의 문제가 아니라 순전히 근육의 문제이다.

그렇지만 그렇기 때문에 엉덩이는 얼마든지 아름다워 보일 수 있도록 조절할 수 있다. 즉 근육으로 이루어진 엉덩이는 그릇에 물이 담기듯 옷의 모양에 따라 탄력적으로 모양이 변할 수 있기 때문에 바지의 모양만 잘 만들어지면, 설사 실제 엉덩이가 좀 못생겼다손 치더라도 얼마든지 섹시해 보일 수 있는 것이다. 그래서 바지는 다른 어떤 옷보다도 체형을 예쁘게 잡아주는 기능성이 크다.

특히 튼튼한 소재로 유명한 청바지에 셀 수 없이 많은 스타일이 있는 것은 다 그런 이유 때문인 것이다. 그런데 이것은 엉덩이가 옷맵시를 다양하게 만

물을 담는 그릇처럼 엉덩이 형태를 여러 가지 모양으로 만들어주는 바지

드는 데 얼마나 큰 역할을 하는지 역설적으로 말해준다. 바지를 통해 엉덩이를 색다른 형태로 보이게 한다면, 엉덩이를 작아 보이게 한다거나 엉덩이를 탄탄하게 보이는 식의 방어적인 수준에서 벗어나 새로운 멋을 표현하는 경지에 이를 수 있다.

몸을 지탱하는 아름다운 기둥, 다리

다리에 대해서는 앞서 몸의 비례를 통해 많이 살펴보았다. 다리의 역할에서 가장 눈에 띄는 것은 비례이기 때문에 따로 더 설명할 것은 없지만 구조에 대해서는 좀 알고 넘어갈 필요가 있을 것 같다. 얼핏 생각하기에 다리는 골반에서 수직으로 연결되어 있는 것처럼 생각하기가 쉽다. 하지만 골반에 붙는 대

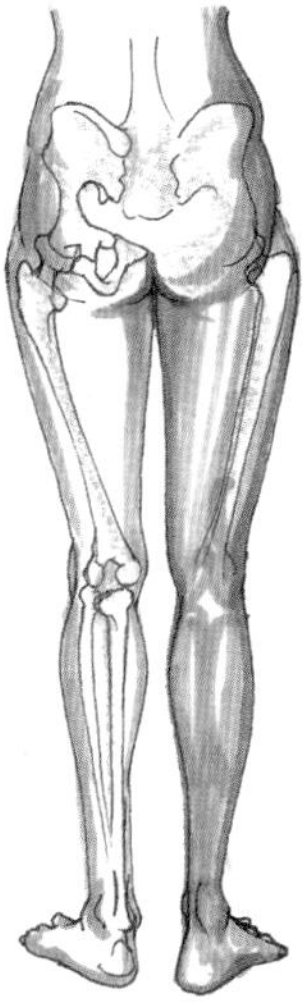

골반에 비스듬하게 연결된 대퇴골

퇴골은 비스듬하게 연결되어 있다.

만약 대퇴골이 골반에 수직으로 연결되었다면 발이 바닥에 닿을 때의 충격이 몸에 그대로 전달되어서 조금만 걸어도 머리가 띵할 것이다. 비스듬하게 연결되는 대퇴골은 그런 발의 충격을 완화하면서도 다리가 잘 움직일 수 있게 해준다.

그런데 이 각도가 문제다. 골반으로 연결되는 대퇴골의 비스듬한 각도가 조금이라도 벌어지면 무릎과 무릎 사이가 멀어져서 흔히 말하는 O자형 다리가 되기 쉽다. 이런 경우에는 통이 넓은 바지나 길이가 긴 치마를 입어서 무릎의 간격을 가려주는 것이 좋다.

대퇴골 가장 바깥을 감싸는 근육은 엉덩이 근육과 연결되어서 하체를 커

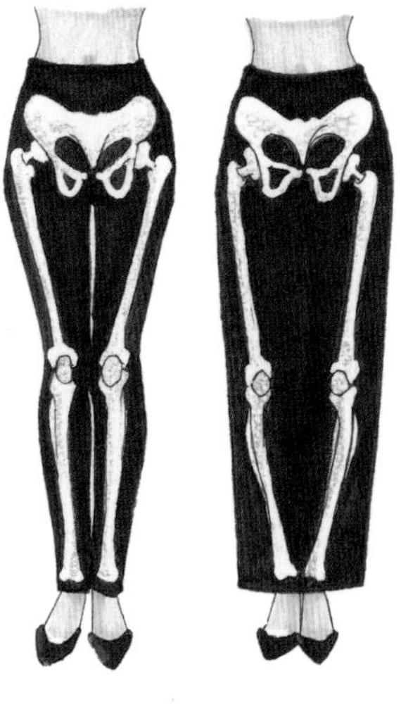

대퇴골의 각도에 따른 바지의 대응

보이게 한다는 사실도 알아야 한다. 남자의 경우 골반이 작기 때문에 대퇴골의 근육이 아무리 두텁더라도 엉덩이와 하나로 보이지는 않는다. 하지만 여성의 경우에는 엉덩이의 근육과 대퇴골을 감싸는 근육이 한 덩어리처럼 보여서 하체를 커 보이게 한다.

이런 경우에는 엉덩이 부분의 품이 좀 넉넉하고 가장 바깥으로 나온 부분의 높이가 대퇴골보다 높게 디자인된 치마나 바지를 입으면 엉덩이를 좀더 작아 보이게 할 수 있고, 잘하면 도리어 탄력적인 허벅지를 가진 것처럼 보일 수 있다.

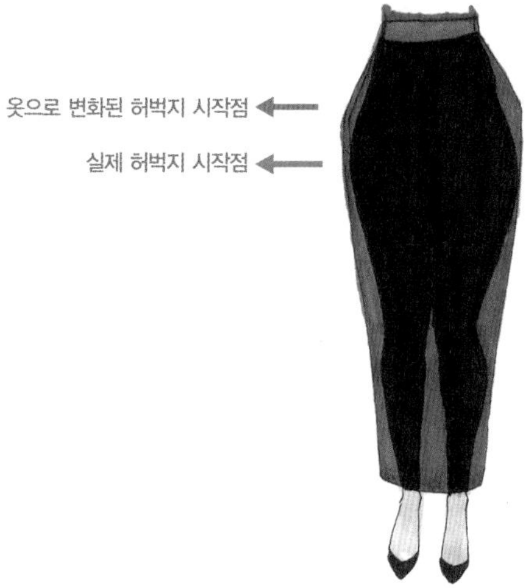

허벅지가 두터울 때의 처리

힐처럼 생긴 발

신발 때문에라도 발의 구조는 한 번 짚고 넘어가는 것이 좋겠다. 발의 해부학적 구조를 보면 희한하게도 힐의 모양과 비슷하다는 것을 알 수 있다. 앞발바닥과 뒤꿈치만 바닥에 바짝 붙고 발의 가운데 부분은 마치 무지개다리처럼 붕 떠 있다. 그렇기 때문에 체중은 발의 앞부분과 뒷부분에 실리고 가운데 부분에는 탄력성이 생긴다.

발의 이런 구조 때문에 바닥에서 전달되는 충격이 상당히 많이 완화된다. 그리고 몸 전체의 무게가 발의 앞꿈치 · 뒤꿈치에만 집중되기 때문에 신발은 발이 닿는 앞 · 뒤 부분만 있어도 되기 때문에 신발의 면적이 그리 크지 않아도 된다.

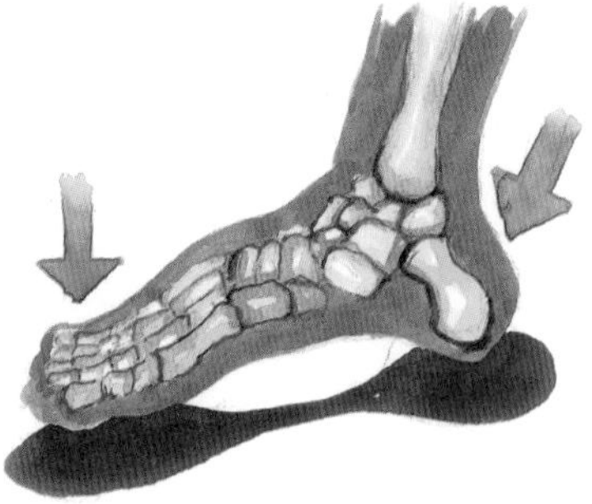

앞꿈치와 뒤꿈치에만 체중이 실리는 발의 뼈구조

발의 구조 덕분에 조각과 같이 아름다운 모양을 가지게 된 힐

이것은 곧바로 신발의 형태에 영향을 미친다. 체중이 많이 실리는 부분은 적당한 면적이 필요하지만 체중이 실리지 않는 발 안쪽 부분은 오목해도 된다. 그러다보니 신발은, 어떤 종류의 것이 되었든, 3차원의 아름다운 곡면을 가지게 되었다. 만약 사람의 발바닥이 평평해서 바닥에 납작하게 붙었다면 지금처럼 다양하고 아름다운 모양의 신발을 볼 수는 없었을 것이다.

특히 힐처럼 앞꿈치와 뒤꿈치의 높이를 다르게 해서 조각과 같이 예쁜 신발을 만드는 일은 상상도 할 수 없었을 것이다. 체중이 발의 좁은 앞꿈치로 집중되어 까치발로 뛰어야 하는 묘기를 부려야 하긴 하지만 이렇게 아름다운 구두를 가질 수 있다는 것은 발이 가져다준 커다란 축복이라고 할 수 있다. 하이힐의 아름다운 디자인이야말로 절반쯤은 발의 모양이 만들었다고 해도 과언이 아니기 때문이다.

이상에서처럼 사람의 몸은 보이는 것이 전부가 아니다. 그 속에는 대단히 다양한 구조적 특징이 자리잡고 있다. 수많은 옷은 모두 이런 몸의 특징을 반영해 만들어졌기 때문에 잘만 활용한다면 어렵지 않게 몸의 단점을 가리고 장점을 드러낼 수 있다.

Think about

시크? 에지?

옷을 잘 입는다는 것은 밥을 잘 먹는 것만큼이나 일상적인 생활의 문제로 자신의 내면을 그대로 드러내는 교양이라 할 수 있다. 따라서 자기의 옷 입는 문제를, 아무리 전문가라 하더라도 타인에게 양보할 수는 없는 일이다. 옷을 잘 입는다는 것은 올림픽 게임처럼 1, 2등을 가리는 일도 아니기 때문에 설사 연예인이 아니라 하더라도 옷은 잘 입을 수 있어야 한다.

그런데 여기서 짚고 넘어가야 할 것은 시크(Chic)나 에지(Edige)와 같은 말이다. 이것은 흡사 전문적인 방법론이나, 옷 입기가 지향해야 하는 원칙인 것처럼 보이지만, 이처럼 뜬 구름 잡는 무책임한 말도 없다.

패션계에 난무하는 말들이 다 그렇지만, 이런 말들 속에는 무엇을 어떻게 해야 하는지에 대해서 지시하거나 기준이 되는 바는 전혀 없다. 이들은 모두 '~하다'라는 형용적 표현일 뿐이다. 희한하게도 패션계에는 이렇게 형용사적인 모호한 표현들이 마치 법칙이나 기준인 것처럼 행세하는 경우가 많다.

그런데 그런가보다 하고 그냥 지나치기에는 문제가 심각하다. 왜냐하면 이런 말은 일반인이 자기에게 맞는 옷을 입는 데 도움보다는 걸림돌이 되기 쉽기 때문이다. 시크나 에지와 같은 말이 낯설고 어색하게 느껴지는 사람들에게 이런 말은 옷을 잘 입는 일이 전문가에게나 허용되는 특별한 일인 것처럼 생각하게 만든다.

말하자면 에지나 시크라는 말을 아무렇지도않게 내뱉을 수 있는 사람이나 옷을 잘 입을 수 있을 거라고 착각하게 만드는 것이다. 이렇게 되면 옷을 잘 모르는 사람들은 시크하고 에지 있게 옷을 입는 사람을 따라갈 수 밖에 없다.

하지만 옷은 컴퓨터 매뉴얼처럼 모든 사람이 같은 방식으로 획일적으로 따라가는 일이 아니라, 자기에게 잘 어울리게 입는 것이다. 정말 옷을 잘 입으려면, 우선 어떠한 것도 지시하거나 설명해주지 못하는 패션용어에 끌려다니지 말고, 자기 자신을 돌아보자.

FASHION

02 옷

스타일을 말하다

옷이 날개라지만 참새에 잠자리 날개나, 뱀에 독수리 날개는 곧바로 추락이다. 하지만 많은 사람은 남의 날개만 쳐다본다. 옷을 잘 입는 최고의 방법은 자기 자신과 옷을 동시에 보는 것이다. 아름다운 옷차림은 몸과 옷이 하나로 어울릴 때다. 이것은 마치 좋은 재료와 좋은 양념이 어울려 맛있는 음식이 만들어지는 것과 같다.

1 아름다움은 실루엣이 결정한다

일단 몸에 대해 어느 정도 이해했다면, 이제 옷이다. 옷에서도 구조나 원리 같은 큰 문제를 먼저 살펴보아야 한다. 옷을 입는다는 것은 구체적인 옷에서부터 스타일에 이르기까지 세밀하게, 입체적으로 조율해야 하는 일이기 때문에 큰 그림을 먼저 이해해야 그 안에서 세부적인 문제를 조율할 수 있다.

스타일의 첫인상

옷은 일차적으로 몸을 보호하기 위한 것이지만, 이차적으로는 아름답게 보이기 위한 것이다. 하지만 6·25 때라면 몰라도 요즘같이 옷이 흔한 시대에 몸을 보호하는 기능만을 앞세우는 사람은 별로 없을 것이다. 그러니 사람들이 옷에서 가장 많이 기대하는 것은 아름다워 보이는 것이라 해도 무리는 아니다.

예뻐 보이고 싶다면 부분적인 유행이나 명품보다 먼저 챙겨야 할 것이 있다. 그것은 바로 '실루엣' 이다.

옷의 가장 바깥쪽 외곽선이 이루는 윤곽선을 실루엣이라고 한다. 많은 사

여성복의 네 가지 실루엣

람이 옷차림이란 목뒤에 붙어있는 라벨로 결정되는 것이라고 생각하지만 사실 옷차림의 대부분은 실루엣에 의해 결정된다. 실루엣이 어떠한가에 따라 사람들에게 어필하는 인상은 천지차이로 달라진다. 그렇기 때문에 옷을 입을 때는 먼저 실루엣을 생각하여 어떻게 보일 것인가를 정하고, 그 다음에 구체적인 옷을 챙기는 것이 좋다.

그런데 실루엣은 인체의 구조적 특징을 반영하면서 만들어지기 때문에 몇 가지 전형적인 모양으로 정리할 수 있다. 일반적으로 X · A · H · O 네 가지로 구분된다.

옷이 아무리 다양한 모양으로 디자인되었다고 하더라도 정상적인 옷이라면 이 네 가지 기본 실루엣을 벗어날 수 없다. 유행도 예외가 없다. 유행이 아무리 다양하게 변한다고 하더라도 이러한 기준 실루엣 안에서의 변화일 뿐이다. 유행도 몇 년 혹은 몇 십 년 단위로 순환하는 실루엣의 반복적 변형에 불과한 것이다. 이 모두가 호모 사피엔스 이후로 인간의 몸이 변하지 않았기 때문이다.

X-LINE

여성성의 극한, X라인

2차 성장기를 지나면서 여성은 남성과는 확연히 다른 신체 변화를 겪는다. 가슴은 앞으로 나오고, 허리는 잘록해지고, 엉덩이는 아주 인상적인 곡선을 만들면서 뒤로 튀어나온다. 특히 앞뒤로 튀어나온 지방의 규모는 남성의 신체와 극단적으로 차별화되며 여성이 남성보다 아름답다는 것을 명징하게 드러낸다. 이렇게 해서 이른바 S라인을 이루는 여성의 몸매는 남자와는 전혀 다른 종류의 아름다움을 보여준다.

X라인 실루엣은 바로 이런 여성의 신체적 특징을 강조하는 스타일이다. 전설적인 디자이너 크리스찬 디오르는 1947년대에 '뉴룩(New Look)' 을 선보이면서 X라인 실루엣의 아름다움을 잘 보여주었다.

사진을 보면 어깨와 엉덩이 부분이 다소 과장되어 있고 허리는 잘록하게 조여 있어서 전체적으로 X자 모양이 만들어지고 있다. 원래 이 뉴룩은 코르셋을 동원해서라도 허리를 잘록하게 만들고, 가슴과 엉덩이를 과장하여 여성의 신체적 특징을 강조하려 했던 고전주의적 의상을 크리스찬 디오르가 현대적으로 재해석하면서 나온 것이다. 코르셋 대신에 그가 사용한 것은 남성복에서 유래된 재킷이었다. 재킷의 단단한 형태에 허리선을 잘록하게 넣어서 코르셋을 입지 않더라도 어깨와 허리, 엉덩이를 흐르는 S라인을 가능하게 했던 것이다.

이렇게 해서 현대 여성복에서도 여성적인 아름다움이 고전의상 못지않게

X라인의 아름다움을 잘 보여주는
크리스찬 디오르의 '뉴룩'

표현될 수 있었다. 이후로 이 실루엣은 원피스를 비롯한 여러 옷에 반영되어서 현대적인 세련됨 위에 여성의 아름다움을 표현하는 하나의 전형이 된다.

X라인의 이런 특징은 옷을 입을 때 특히 유익한 기준이 된다. 밑도 끝도 없이 예쁜 옷만 찾는 것은 아마추어라 할 수 있는데, 옷을 정말 잘 입으려면 옷의 전체적인 이미지를 생각하고 거기에 알맞는 실루엣을 챙겨야 한다. 예를 들어 섹시하거나 여성적인 분위기를 표현하고 싶다면, X라인의 실루엣에 맞는 옷을 챙겨 입으면 된다. 옷을 보는 큰 틀의 시각이 잡혀 있으면 부분적인 문제에 휘둘리지 않고 원하는 목표를 쉽게 이룰 수 있다. 설사 부분적으로 옷차림이 미흡하다고 하더라도 전체 이미지가 잘 잡혀 있다면 얼마든지 수정, 보완할 수 있다.

X라인이 적용된 다양한 패션

H-LINE

정신의 아름다움, H라인

요즘은 너나 할 것 없이 S라인을 최고로 꼽는다. 하지만 그것은 어디까지나 여성의 육체적 아름다움이지 정신의 아름다움은 아니다. 프로이트적으로 보자면 옷의 X라인 실루엣은 인간의 본능, 성적 본능에 기댄다. 하지만 플라톤이나 아리스토텔레스 혹은, 공자가 살았던 옛날부터 존중받았던 것은 육체가 아니라 정신의 아름다움이었다. 그런데 이 정신의 아름다움은 화려하고 본능적인 스타일보다는 대개 절제되고 단순한 스타일에 잘 스며든다. 그래서 육감적인 고딕이나 바로크, 로코코 건축에 비해 르네상스나 현대건축처럼 정신성을 강조했던 시대에는 규모나 장식보다는 절제를 택한다.

패션에서도 마찬가지다. X라인의 실루엣은 여성의 육체적 아름다움을 배가시키긴 하지만 반대로 여성의 지적 아름다움을 가볍게 만들기 쉽다. 자신의 정신적 아름다움을 육체적 아름다움보다 돋보이게 하고 싶다면 X라인의 실루엣을 누그러뜨리고 단순한 모양의 라인을 선택하는 것이 좋다. 요점은 굴곡이 심한 몸매를 매우 단순한 선으로 가리는 것이다. 어깨에서부터 일직선으로 내려오는 선을 가진 옷으로 온몸을 감싸보자. 순식간에 맑고 순수한 이미지와 드높은 교양으로 휩싸이게 된다. 이것을 H라인 실루엣이라고 한다.

샤넬과 같은 디자이너는 일찌감치 현대의상에 이런 실루엣을 베풀어서 고전주의 시대부터 육체적 아름다움에만 매여 있던 여성에게 정신적 아름다움

절제된 H라인의
실루엣을 가진 샤넬의 패션

미스 반 데어 로에
(Ludwig Mies van der Rohe)의
절제된 현대 건축

을 가져다주었다. 20세기 현대건축가의 건축물처럼 화려함이나 장식성은 현저히 떨어졌지만, H라인의 실루엣을 통해 여성은 감히 누구도 범접할 수 없는 숭고한 분위기와 차분함으로 무장할 수 있게 된 것이다. 육체의 아름다움에 얽매이지 않는 까닭에 세월에 바래지 않는 아름다움을 누릴 수 있게 된 것도 빠트릴 수 없는 H라인의 덕목이다. H라인의 특징은 이렇다. 젊은 사람에게는 품위를, 나이든 사람에게는 현명함을 가져다주는 스타일.

몸매를 감추면 정신이 드러난다. 건축이나 미술, 모든 예술에 보편적으로 적용되는 진리이다. 그래서 스님이나 신부님이나 수녀님은 온몸을 그렇게 천으로 두텁게 감싸는지도 모르겠다.

H라인 실루엣을 가진 여러 유형의 패션

안정적인 사랑스러움, A라인

미술시간에 정물화를 그려본 일이 있을 것이다. 이때 미술선생님은 대개 가로로 누워 있는 화면에 사과 세 개와 술병 하나를 삼각형 모양으로 늘어놓고 그리라고 했을 것이다. 삼각구도이다.

정물화를 삼각구도로 그리는 이유는 안정감이 뛰어나기 때문이다. 무엇이든 밑이 넓고 위가 좁으면 시각적으로 매우 단단하고 안정되어 보인다. 옷에서도 마찬가지다.

어깨부분보다 아랫도리가 넓은 A라인의 실루엣을 가진 옷은 안정감이 최고다. 그리고 밑단에 비해 상대적으로 어깨가 좁아 보이기 때문에 부드럽고 우아한 여성미를 표현하는 데 유리하다.

H라인이 초현실적인 정신성을 드러낸다면 A라인은 견고함에서 우러나오는 우아함을 자아낸다. 현실적이면서도 격조 있는 아름다움을 나타낸다고나 할까.

예컨데 대부분의 한복은 A라인을 형성하고 있으며, 그렇기 때문에 다른 어느 나라의 옷보다 안정되고 우아한, 그리고 편안한 느낌을 준다. 일본의 사무라이 복장과 비교해보면 그 차이를 쉽게 알 수 있다. 역A라인을 가지고 있는 사무라이나 쇼군의 옷은 한복과는 반대로 매우 권위적이고 공격적으로 보인다. 시각적으로 아주 불편하고 불안해 보인다.

A라인의 한복과 일본 목판화에
나타나는 역A라인의 일본 사무라이 복장

전사들의 복장이다 보니 그렇게 된 것이다. 사방에 적을 두고 있기 때문에 옷의 디자인에 공격성이 표출되어야 했다. 편하게 느껴져서는 안 된다. 한복처럼 A라인이라면 상대가 겁을 먹을 리 없다. 대부분의 한복이 A라인으로 편안함과 덕을 느끼게 한다는 것은 그만큼 남을 위협할 일이 없었고, 오히려 덕과 품위로 남을 감복시켜야 하는 사회였다는 것을 말해준다. 문화의 차이에 따라 옷의 디자인이 완전히 반대방향으로 발전한 것이다.

옷의 실루엣에는 단지 유행이나 표피적 아름다움뿐만 아니라 이처럼 사회상과 미감이 총체적으로 녹아있다. 때문에 옷은 단지 유행으로만 계측되고 재단될 수 없는 것이다.

삼각구도의 정물화

아무튼 A라인의 실루엣은 안정감이 뛰어나고, 치마를 입는 여성의 여성적인 아름다움을 잘 표현할 수 있는 스타일이다. 참한 아가씨 인상을 준다고 할 수 있겠다.

허리를 조여서 섹시한 여성미를 나타내는 X라인과 달리 가슴 윗부분은 밀착되고 아래로 갈수록 퍼지는 A라인은, 가장 순수한 여성상이 나타났던 19세기 초의 엠파이어 스타일에서 가장 잘 표현되었다고 할 수 있다.

여러 가지 A라인 실루엣의 패션

O-LINE

몸으로부터의 자유, O라인

위아래는 좁고 허리와 엉덩이 부분은 둥근 O라인 코트는 마치 누에고치를 뒤집어쓴 것 같다고 해서 일명 코쿤(Cocoon) 스타일이라고 불리기도 한다.

앞서 살펴본 여러 실루엣에 비해 O라인은 신체적으로 가장 왜곡된 실루엣을 형성하는 것이 특징이다. X라인이 여성의 S라인 몸매를 과장시켜 발산하고, H라인이 여성의 신체적인 매력을 배제시켜 정신성을 강화한다면, O라인은 옷이 몸매를 전혀 반영하지 않고 독자적인 형태를 이루는 실루엣이다. 그런 점에서 O라인 실루엣은 근본적으로 몸의 제약으로부터 자유를 향해 훨훨 날아간 스타일이라 할 수 있다.

옷을 입을 때 살펴보아야 할 것은 O형 실루엣의 시각적 인상이다. 사각형을 볼 때 느껴지는 인상과 달걀형을 볼 때 느껴지는 인상은 같을 수 없다. 사각형은 딱딱하고 건조하고 단단한 느낌을 주고, 둥근 달걀형은 부드럽고 아기자기한 느낌을 준다. 마찬가지로 몸에 비해 둥글고 풍성한 O형 코트의 실루엣은 어려 보이는 효과가 있다. 마치 이불에 폭 감싸인 듯, 막 깨어나려는 병아리가 알을 뒤집어쓴 듯한 인상을 주며 남성들에게는 보호본능을, 여성에게는 모성본능을 일으킨다.

이런 특징을 지닌 O라인 실루엣 옷은, 몸통 부분이 누에고치 같이 둥근 인상을 주므로 팔과 다리 부분은 가능한 한 가늘어 보이는 것이 좋다. 팔 · 다리

여러 가지 O라인 실루엣의 패션

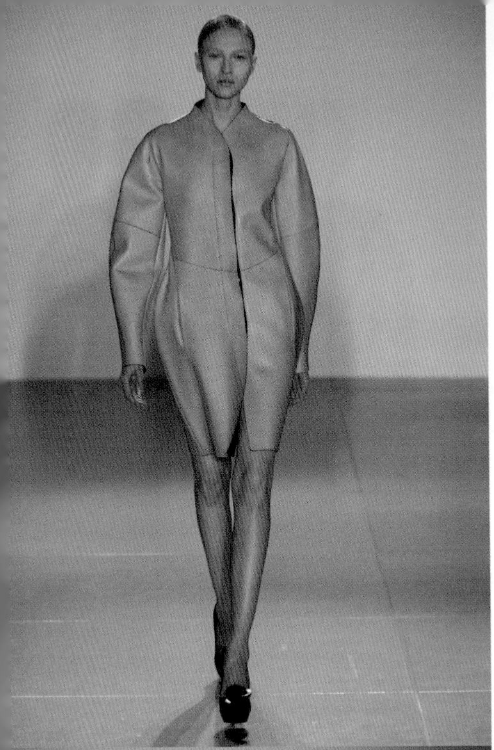

도 굵고 둥글어 보이면 테마파크의 캐릭터처럼 보이기 쉽다. 따라서 O라인의 옷을 입을 때는 레깅스와 몸에 딱 붙는 니트를 매치시켜서 각각의 옷이 서로의 매력을 상호보완하면서 미적 시너지 효과를 얻게 유도하는 것이 좋다. 하지만 새로운 실루엣에 도전해보고 싶다면 밑이 넓은 A라인 롱스커트를 입어서 새로운 실루엣을 만들어보는 것도 재미있을 수 있다.

아니면 모직처럼 두껍고 딱딱한 천으로 된 옷을 안에 입어서 오히려 더 둥글둥글한 O라인을 강화하거나 니트로 여러 겹을 껴입어 자연스럽게 둥근 형태가 만들어지도록 하는 것도 좋겠다. 어쨌거나 날렵할수록 예쁜 X·A·H라인에 비해 O라인은 옷과 신체 사이에 공간이 많으므로 속에 여러 겹을 겹쳐 입을 수 있어, 신체적인 압박감이 적고 보온성도 확보할 수 있다. 텔레토비로

O라인 실루엣에 어울리는 여러 가지 패션 스타일

오해받지 않으면서도 겨울 멋을 한껏 즐길 수 있는 스타일이다.

옷의 실루엣은 옷차림의 뼈대라 해도 과언이 아니다. 눈에 잘 보이지는 않지만 옷 전체의 이미지를 결정짓는다. 아무리 예쁜 옷을 입더라도 전체 실루엣이 그저 그렇다면 옷을 잘 입을 수 없다. 그러니 예쁜 옷을 찾기 전에 어떤 실루엣을 추구할 것인가를 잘 살펴야 한다.

2 아름다움을 완성하는 몇 가지 원리

옷은 옷의 원리만으로 해결되지 않는다. 앞서 살펴본 것처럼 옷을 잘 입는다는 것은 시각적 효과와 밀접한 관계가 있기 때문이다. 옷으로 아름다워 보이고 싶다면 아름다워 보이는 것에 관해 살펴보는 것이 순서라 할 수 있다. 따라서 조형예술 전반을 관통하는 보편적인 원리 몇 가지를 확보해놓고 구체적인 옷 아이템에 대해 살펴보는 것이 옷을 잘 입을 수 있는 지름길이라 할 수 있다. 옷과 관련하여 의미 있는 조형 원리는 비례 · 대비 · 대칭 · 비대칭 등이다.

시원한 눈맛의 비밀, 비례

패션에서 비례는 크게 두 가지로 나누어볼 수 있다. 앞서 살펴본 것처럼 다리가 길어 보이게 만들거나, 목이 길어 보이게 하는 것처럼 몸의 비례를 보완해주는 역할이 있고, 몸매와는 관계없이 옷 자체의 비례를 조율하는 측면이 있다.

신이 내린 완벽한 8등신의 몸매에 롱다리를 가진 사람이 얼마나 될까? 지구상에 살고 있는 대부분의 사람은 신의 축복을 살짝 비켜간 몸매로 살고 있다. 하지만 옷을 통해 인간은 신의 부족한 축복 분을 메울 수 있다. 20세기 이후로 등장한 현대의상은 그런 능력이 특히 탁월하다. 어깨선을 살짝 굴려주거나, 바짓단을 살짝 내려주는 정도의 비례 변화로도 그리스적 몸매를 가능케 해준다. 다리의 길이는 기본이고 엉덩이 크기나 어깨의 넓이, 목의 길이 등 몸이 가진 여러 비례를 조율하여 다양하고 완벽한 모습으로 만들어준다. 따라서 자신의 몸이 가지고 있는 비례의 문제점만 알고 있다면, 그것을 보완해줄 수 있는 옷을 찾아서 입으면 된다. 예를 들어 머리가 다소 큰 편이라면 어깨의 넓이를 좀 넓혀주거나 다리를 좀더 길어 보이게 하는 것이 좋다. 그래서 어깨가 넓어 보이는 상의를 챙겨 입든지, 다리를 길어 보이게 하는 바지들을 골라 입으면 비례의 결함을 일정 정도 해결할 수 있다.

또 다른 비례의 측면은 옷 자체에 관한 것이다. 몸을 어떻게 보이게 하는지와는 별개로 일단 옷을 입었을 때의 전체 모습이 아름다워야 한다. 아름다워 보이기 위해서는 옷의 각 부분의 비례 조율이 중요하다.

먼저 딱딱한 형태의 디자인을 통해 비례의 아름다움에 대한 기초를 살펴보도록 하자. 이탈리아를 대표하는 디자이너 알레산드로 멘디니(Alessandro Mendini)의 와인 오프너 디자인을 보면 우선 입가에 미소가 돈다. 와인 오프너이긴 한데 여자가 팔을 내리고 있는 모습이 보이기 때문이다. 작은 물건이지만 이 안에는 대단히 복잡한 비례관계들이 조율되

비례가 아름다운 알레산드로 멘디니의 와인 오프너 디자인

어 있다.

우선 금속의 머리부분과 파란색 몸체의 높이를 비교해보면 거의 3:4의 비례를 이루고 있는 것을 알 수 있다. 변화와 통일이 가장 잘 이루어졌다는 황금비례에 가깝다. 이렇게 큰 비례가 안정감이 있으면서도 눈맛이 좋은 비례로 나누어져 있기 때문에 기본적인 아름다움은 보장된다. 그 안에 구획되어 있는 여러 가지 비례도 전체의 흐름을 깨지 않는 선에서 정밀하게 조율되었다. 전체적으로 무리 없이 예뻐 보이는 것은 전체와 부분이 끈끈한 조화를 이루고 있기 때문이다. 옷에서도 원리는 같다.

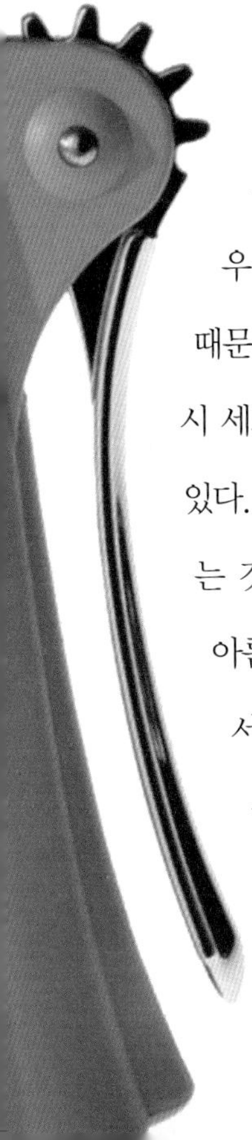

주로 검은색에 가까운 무채색으로 이루어진 아퀼라노 리몬디(Aquilano Rimondi)의 패션 디자인을 살펴보면, 어깨가 뾰족하게 강조된 형태가 먼저 눈에 들어온다. 자칫 이렇게 어깨가 강조되면 상체가 매우 넓어 보일 수 있다. 하지만 소매를 옷의 몸통과 다른 검은색으로 했기 때문에 뾰족하게 위로 솟은 어깨와 아래로 가늘게 흐르는 소매의 동세가, 역시 세로로 길게 흐르는 몸통의 동세와 더불어 몸매를 매우 슬림하게 만들고 있다. 세로의 비례를 잘게 잘라줌으로써 몸매의 슬림함을 더욱 강조하고 있는 것이다. 여기에 상체와 하체를 구분하는 허리선의 위치는 전체 몸매를 아름다운 비례로 마무리 짓고 있다. 머리에서 어깨, 어깨에서 허리, 허리에서 치마 끝, 치마 끝에서 힐의 맨 아랫부분까지가 어떤 길이로 나누어지는지를 비교해보면 쉽게 알 수 있다. 각각의 길이가 하나도 비슷하지 않

아름다운 비례를 갖춘
아퀼라노 리몬디의 패션 디자인

고 거의 3:4나 4:5 정도의 황금비례로 나누어져 있다. 게다가 치마와 종아리 이하부분이 가장 긴 비례를 가지고 있어서 다리가 훨씬 길어 보인다. 이러니 날씬하고 아름다워 보이지 않을 수 없는 것이다.

이처럼 옷을 이루는 요소들의 비례를 잘 조율해주면 같은 형태라도 더 아름답게 만들 수 있다. 옷을 입을 때도 옷의 요소들이 어울려서 만드는 비례를 세심하게 고려한다면 같은 옷을 입더라도 훨씬 좋은 결과를 만들 수 있다.

시선을 붙잡는 대비

잘만 활용하면 시각적으로 큰 효과를 자아낼 수 있는 것이 '대비' 이다. 패션에서는 흔히 믹스 앤 매치(Mix & Match)라고 표현한다. 대비는 속성이 서로 다른 것을 같이 붙여서 시각적인 효과를 극대화하는 방법이다.

이러한 대비효과에는 면적 대비, 색 대비, 혹은 화려한 형태와 단순한 형태의 대비, 서로 다른 소재의 대비 등이 있다. 어떤 류의 대비가 되었든지 서로 부딪히는 성질이 어떤 것인지 분명히 하고, 결과적으로는 강렬한 시각적 주목성을 이끌어내는 것이 중요하다. 가장 일반적인 대비는 면적, 혹은 길이를 대비시키는 것이다. 상의와 치마 길이의 대비효과를 살펴보자.

일반적인 길이의 상의에 아주 짧거나 아주 긴 치마가 매치되면 가장 심한

면적 · 소재 · 색상 · 장식의 대비

대비효과를 얻을 수 있다. 상의의 길이보다 길거나 짧기 때문에 별다른 장식이나 형태의 기교가 없어도 시각적으로 강하고 세련된 인상을 줄 수 있다. 한편 미니스커트나 그보다 더 짧은 마이크로미니를 매치하는 경우 길이나 면적이 상의에 비해 상대적으로 적어진다. 말하자면 정면에서 볼 때 허리 · 엉덩이 · 골반 부분에 아주 작은 사각형 면이 생기고 그 밑으로 다리가 나오게 된다. 이때 좀더 큰 상의를 입으면, 대비가 훨씬 심해진다.

반대로 발목 길이나 땅에 끌릴 만큼 긴 치마를 입고, 위에 짧고 간결한 모양의 상의를 매치하면, 또 다른 대비효과를 낼 수 있다.

여기서 또 간과할 수 없는 것이 키다. 키가 작거나 크거나 면적 대비를 이용해 옷을 입으면 실패할 확률이 적다. 하지만 키가 큰 사람이 면적이 큰 치마

상의와 하의의 면적 대비

모피와 금속성의 질감 대비로
독특한 미감을 표현한 패션

무채색 옷에 번쩍거리는 액세서리를
달아서 시각적 효과를 극대화한 경우

와 큰 상의를 입으면 키도 큰데 면적도 커져 자칫 위협적으로 보일 수 있다. 반대로 키가 작은 사람이 큰 치마와 큰 상의를 입으면 옷에 짓눌려 보일 수도 있다.

따라서 무작정 스타일을 따라하기보다는 그 옷을 입는 원리를 먼저 파악해서 자기에게 맞고, 자기가 원하는 대비의 정도를 잘 표현하는 것이 중요하다고 할 수 있다.

이 외에도 패션에서 많이 볼 수 있는 것이 질감 대비이다. 완전히 속성이 다른 재질을 대비시켜 시원한 눈맛을 자아내는 방법이다. 아무리 해도 옷의 형태가 몸의 모양을 크게 벗어나지 않는 관계로 심한 대비감을 연출하기가 어려운데, 질감은 그러한 제약에서 비교적 자유롭게 운용할 수 있기 때문에 특히 패션에서 많이 활용하고 있다.

옷에 사용되는 옷감의 질감을 대립시키는 것이 가장 흔하다. 번쩍거리는 질감의 섬유와 부드러운 질감의 천연소재 섬유가 만나면 아주 기계적인 느낌과 자연스러운 느낌이 섞여서 매우 독특한 분위기를 만든다. 가죽소재와 일반 면소재나 번쩍거리는 금속성 느낌의 소재가 대비되어도 매우 독특한 미감이 우러나온다. 소재에 대한 대비는 말없이 큰 소리를 지르는 것 같은 효과를 줄 수 있기 때문에 옷을 입을 때 상당히 유용하다.

액세서리를 통해 면적 대비나 질감 대비를 이중으로 표현하여 옷차림에 포인트를 주는 것은 정말 필수적으로 알아야 할 내용이다. 단색의 심플한 옷에 작고 복잡한 모양의 금속성 액세서리가 대비되었을 때 아주 강한 시각적 효과가 일어난다. 가장 경제적으로 세련되어 보일 수 있는 방법이다. 일찍이 샤넬이 이런 표현을 즐겼는데, 샤넬 특유의 무채색 옷에 밝고 번쩍거리는 진주 목걸이를 주렁주렁 달면 옷의 심심한 기운이 씻은 듯 사라지고 동시에 매우 세련된 감각을 표현할 수 있다.

아무리 유행이 지난 옷이라도 이렇게 대비가 심한 액세서리 몇 개만 대비시켜주면 금방 생생한 원기가 돈다.

이처럼 대비의 효과는 밋밋한 옷차림에 활기와 세련됨을 가져다주는 천연 양념과도 같은 역할을 한다. 단지 성질이 다른 요소만 같이 놓아두면 큰 효과를 얻을 수 있기 때문에 옷을 입을 때 다채롭게 적용할 수 있는 원리이다. 하지만 무조건 대비가 일어난다고 좋은 결과를 얻는 것은 아니다. 어떤 성질이 어떻게 대비되어서 어떤 효과를 얻을 것인지 분명히 따지면서 접근해야 함을 명심하자.

대칭과 비대칭의 변주

아무래도 장식이나 옷을 구성하는 요소가 많이 들어가면 그렇지 않은 옷보다 아름다워 보인다. 하지만 장식이 많고 구성이 복잡해지면 혼란스럽고 불안정

아무리 형태가 복잡해도 질서가 깨지지 않는 옷

해 보이기도 쉽다. 그렇게 된다면 애초에 원했던 아름다움은 혼란의 늪에 빠져 오히려 추해지기 쉽다. 하지만 대부분의 옷은, 화려하고 복잡해 보이는 옷도, 시각적인 혼란에 빠져서 추함의 나락으로 떨어지는 경우는 거의 없다. 왜 그런 것일까?

거기에는 '대칭'이라는 조형적인 비밀이 깔려 있다. 대칭은 어떠한 상황에서도 형태를 차분하게 만드는 마력이 있다.

옷은 거의 대칭 형태다. 그것은 물을 필요도 없이 우리 몸이 대칭인 까닭이다. 이렇게 대칭인 몸을 염두에 두고 만들어진 옷이기 때문에 패션 디자인은 다른 디자인 분야에 비해 형태의 제약이 몹시 심하다고 할 수 있다. 하지만 그게 꼭 나쁜 것만은 아니다. 그리스의 파르테논 신전에서부터 바로크 · 로코

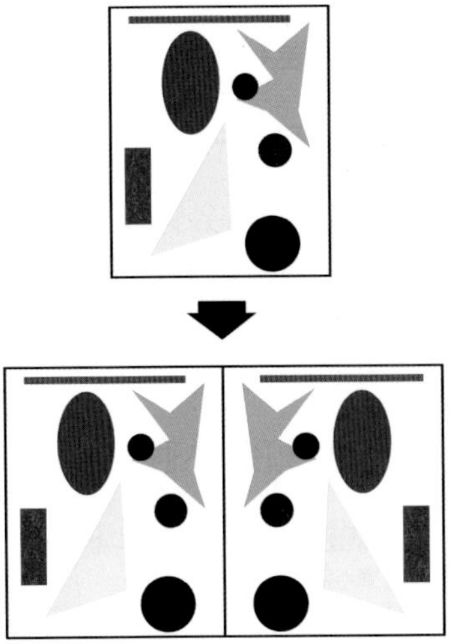

데칼코마니를 통해 알 수 있는 대칭의 조형적 효과

권위적인 대칭
형태의 건축물

코 건축에 이르기까지 서양의 고전건축을 보면 거의 예외 없이 대칭 형태이다. 이것을 보면 일부러 대칭 형태를 추구할 정도로 대칭 형태의 장점이 적지 않다는 것을 알 수 있다.

대칭 형태의 가장 두드러진 장점이라고 한다면 조형적인 안정감이 뛰어나다는 것이다. 데칼코마니를 해보면 아무리 복잡한 형태가 있다고 하더라도 좌우가 대칭이 되면 순식간에 바위보다도 단단한 안정감이 생긴다는 것을 확인할 수 있다.

이러한 대칭의 효과는 패션에서 큰 장점이 된다. 아무리 치장이 복잡하고 현란하더라도 대칭 형태를 벗어나지 않는 이상은 언제나 안정된 조형적 상태

엄격하고 권위적으로 보이는 군복

를 유지할 수 있기 때문이다.

대칭 형태의 또 다른 특징은 대단히 권위적이고 딱딱하다는 것이다. 사실 서양의 고전건축이 대칭 형태를 지향해온 가장 큰 이유도 대칭의 권위주의적 이미지 때문이다. 특히 17, 8세기 절대왕정기나 히틀러가 집권하던 시기의 건축을 보면 특히 권위적인 대칭형 건물이 많다.

옷도 건축과 다르지 않다. 같은 옷이라도 예복이나 종교 행사에 입는 옷은 건축에서와 마찬가지로 엄격한 좌우대칭형이다. 장식이 좀 적고 좌우의 대칭적 성격이 강한 옷은 차분하고 우아해 보이고, 좀더 심하면 권위적으로까지 보일 수 있다. 군복이나 사제복을 생각하면 쉽게 이해할 수 있을 것이다. 좌우대칭성이 잘 표현된 정장이 다른 옷보다 안정되고 힘이 있어 보이는 것도 같은 이유에서이다.

하지만 안정감이 지나치면 따분하고 지루해진다. 인간은 본능적으로 안정감과 더불어 재미와 변화를 추구한다. 변화와 재미를 추구하기 위해 사람들은 단단한 좌우대칭의 옷을 더 강력한 힘으로 파괴하기도 한다.

옷의 역할이 비바람을 차단하는 것보다는 예쁘게 보이기 위한 것으로 넘어간 지 꽤 오래됐다. 그런데 옷으로 예쁘게 보이기 위해서 선택할 수 있는 방법은 생각보다 많지 않다. 쉽게 생각할 수 있는 것은 두 가지다. 장식을 넣어 예뻐 보이도록 하든가, 화려한 색을 통해 아름다움을 극대화하는 것이다.

레이스라든지 아름다운 무늬가 들어간 옷은 그렇지 않은 옷보다 훨씬 아름다워 보인다. 화려한 색으로 디자인된 옷은 칙칙한 색으로 디자인된 옷보다는 예뻐 보인다. 이런 옷을 입으면 당연히 그저 그런 옷을 입는 것보다는 훨씬 아름다워 보일 수 있을 것이다. 하지만 잘 생각해보면 장식이나 색깔은 옷의 본질적인 부분이라기보다는 옷의 표면에 뿌려진 양념 같은 부가물에 가깝다고 할 수 있다.

음식도 깊이 우러나오는 진한 맛이 오래 가고 좋은 것처럼 옷도 본질에서 우러나오는 깊은 아름다움의 맛이 그 어떤 장식이나 색상보다도 흔들림 없고 파장이 큰 아름다움을 가져다줄 수 있다. 장식이나 색상의 첨가 없이 옷의 본질적인 구조 그 자체로 장식할 수 있는 방법이 바로 비대칭이다.

좌우 비대칭으로 들어간 브로치의 효과

비대칭의 효과를 가장 잘 확인할 수 있는 것은 브로치 같은 액세서리이다. 목걸이나 귀걸이는 좌우로 동일한 형태나 구조가 더해지는 것이기 때문에 좌우대칭을 오히려 강화한다. 하지만 브로치의 경우 좌우대칭이 아닌 한쪽 가슴팍에 하는 경우가 대부분이다. 다른 어떤 장신구보다도 브로치의 역할이 큰 것은 바로 안정된 좌우대칭을 일순간 무너뜨리기 때문이다.

크기가 아무리 작고 두드러지지 않는 모양이라고 하더라도 보는 사람의 시각을 흡수하는 힘은 그 어떤 장식보다도 강하다. 이런 비대칭의 효과가 좀 더 적극적으로 옷에 적용된다면 대단한 결과를 얻을 수 있을 것이라는 것은 물을 필요도 없다.

가장 쉽게 생각할 수 있는 비대칭적 접근은 단정한 정장에 스카프를 비스

대칭적 성격이 강한 옷 위에 비대칭 표현을 한 경우

듬하게 매는 것처럼 대칭성 위에 비대칭성을 덧씌우는 것이다.

정장은 대칭성이 강해서 단단하고 엄격한 인상을 준다. 이럴 때 전혀 반대의 표현을 곁들여주면 대단히 큰 효과를 얻을 수 있다. 스카프는 이런 효과를 매우 쉽게 얻을 수 있는 아이템이다. 어떤 옷에도 잘 어울리고, 이리 저리 자유롭게 걸칠 수 있기 때문에 비대칭의 효과를 얻기에 적절하다. 멋쟁이 소리를 듣는 사람들치고 스카프를 활용하지 않는 사람은 없을 것이다. 하지만 진정한 멋쟁이라는 말을 들으려면 스카프가 아니라 스카프를 통해 비대칭적 표현을 해야 한다는 사실을 정확하게 이해해야 한다.

정장 한쪽 가슴 주머니에 손수건을 반쯤 내놓는다든지, 모자를 살짝 비뚤게 쓰는 것이 모두 같은 접근이라고 할 수 있겠다. 예비군들이 군복 상의의 단추를 풀고 모자를 비스듬하게 쓴다든지, 교복 바지의 한쪽 다리를 접어서 입고 있을 때 우러나는 불량스러운 모습도 모두 강한 대칭성 위에 비대칭성이 표현된 모습이기는 하지만, 그 효과는 완전히 극과 극이다. 그렇기 때문에 비대칭적 표현은 쉽지 않다. 멋과 불량기가 종이 한 장 차이로 달라지기 때문에 세심한 감각과 전체를 조율하는 안목이 필요하다.

좌우대칭이 엄밀한 일반적인 옷에 장신구를 더하면 시각적 긴장감이 생겨 전체 옷차림에 생기가 돈다. 그렇다면 아예 옷 자체를 비대칭적으로 구현하면 동일한 결과를 얻을 수 있을 것이라는 것도 생각할 수 있다.

옷이 노골적으로 비대칭을 추구하기란 쉽지 않다. 그 정도가 너무 심해지

사진 1_부분적으로 눈에 띄지 않을 정도로
미세한 비대칭성이 구현된 패션 디자인

면 몸에 부담을 줄 수도 있기 때문이다. 그리고 너무 튀어서 난잡해 보일 수 있다. 하지만 〈사진 1〉의 옷처럼 전체적으로는 엄격하게 좌우대칭인 것처럼 보이게 하면서 가운데 부분을 살짝 비대칭적 형태로 디자인하면, 차분함을 유지하면서도 예사롭지 않은 변화를 구현할 수 있다. 자세히 보지 않으면 형태의 비대칭적 변화를 알아차리기도 어렵다.

전체를 크게 보면 단정한 모양의 재킷이다. 단순한 모양의 좌우대칭형 실루엣과 차분하고 연한 회색톤은 옷에 대한 믿음을 고조시키고, 부드럽고 우아한 재킷의 묘미를 잘 표현하고 있다. 이 옷은 이런 단단한 신뢰를 바탕으로 밑단의 높이를 살짝 다르게, 비대칭적으로 구사해 자칫 차분하고 단조롭기만 할 수 있었을 옷의 분위기를 탁 틔워준다. 안정된 느낌이 너무나 단단하게 옷 전체에 흐르고 있기 때문에 이런 단순한 비대칭적 처리만으로도 그 변화의 효과는 크다. 아주 안정된 분위기에서 구현된 변화라 그 강도는 다른 화려한 옷에 비해서 비교할 수 없을 정도로 커지는 것이다. 하지만 그렇다고 해서 안정적이고 차분한 분위기가 흔들리지는 않는다.

하지만 이런 정도로는 비대칭의 효과가 만족스럽지 않다면 좀더 과감한 시도가 필요하다.

〈사진 2〉 같은 경우는 안에 입은 원피스를 비대칭적으로 매치하여 변화를 꾀한 경우라 할 수 있다.

목부분과 치마부분의 비대칭적 처리가 전체 분위기에 활력을 가하고 있

사진 2_다소 자유롭게 생긴 원피스로
비대칭의 변화를 꾀한 디자인

다. 그 위에 입은 흰색 재킷의 대칭적 형태와 A라인의 실루엣은 그러한 비대칭적 활력을 잔뜩 누르고 있다. 때문에 전체적인 안정감이 흐트러지지 않은 상태에서 변화가 촉발되고 있다. 앞의 옷보다는 비대칭적인 활력이 활발하기는 하지만 그렇다고 파격적인 모양새는 아닌 것이다.

반면에 〈사진 3〉은 단순한 모양의 옷에 비대칭성을 아주 효과적으로 구사한 경우라 할 수 있다.

그냥 봐도 이 패션 디자인은 그렇게 복잡하거나 파격적인 모양새를 하고 있는 것은 아니다. 단추나 브로치 같은 장신구도 하나 없다. 그냥 파란색 원피스만 있다. 너무나 단조로워서 그다지 눈에 띄지 않을 수 있는 디자인이다. 특이한 점은 단 하나. 한쪽 어깨는 파란색 천으로 단단히 감싸고, 한쪽 어깨는 확연히 드러내고 있다. 잔잔한 호수에 던져진 돌 하나가 큰 파장을 남기는 것처럼 그저 그런 파란색 원피스에 구현된 이 비대칭적 표현은 마치 다이아몬드 목걸이를 한 것처럼 눈에 확 띈다. 특히 노출과 감춤이 극한 대립을 보여주고 있는 두 어깨의 상반된 인상은 그러한 비대칭성 위에 대단한 시각적 힘을 실어준다.

눈을 자극하지는 않지만 이런 대비효과는 우리의 시선을 뿌리부터 압도하는 마술을 부린다. 아울러 왼쪽 목에서 오른쪽 가슴으로 내려오는 급한 경사는 얌전해 보이는 원피스에 강렬한 구도의 힘을 심어준다. 효과적인 비대칭적 표현으로 단순한 형태 속에 무한한 시각적 흡수력을 이끌어내고 있는 것을 보

사진 3_한쪽 어깨를 드러내면서 강렬한
비대칭적 인상을 자아내고 있는 디자인

면, 이 디자인은 대단히 심층적이고 지적이라는 느낌을 지울 수 없다. 이처럼 극히 단순한 형태에서 무한한 가치를 이끌어낼 수 있는 것은 값비싼 장신구나 눈을 자극하는 장식이 아니라 눈에 보이지 않는 원리라는 것을 다시 한번 확인시켜준다. 정말 중요한 것은 비싼 물질이 아니라 돈으로 환산할 수 없는 교양인 것이다.

〈사진 4〉의 디자인은 앞의 디자인보다 한 걸음 더 나아간 정도의 비대칭적 강도를 가지고 있다. 한쪽 어깨는 노출하고 한쪽 어깨를 과도하게 강조한 비대칭적 표현 때문에 우리의 시선을 강렬하게 끄는 디자인이다.

역시 옷에 장식이 따로 부가되지 않았지만 비대칭적 구조 자체가 눈에 띄게 강하게 다가와서 화려하고 장식적인 효과가 구현된 디자인이다. 어깨를 뺀 원피스 자체는 얌전하기 짝이 없는 분위기를 가지고 있다. 색깔은 좀 화려한 오렌지색이지만 복잡한 부분 없는 단조로운 구조의 옷이다. 하지만 그 위에 살짝 구현된 비대칭적 처리는 이 얌전한 디자인에 커다란 파장을 새겨넣었다. 오히려 화려하고 복잡한 부분이 있었다면 이 정도의 비대칭적인 효과로는 눈에 띄기 어려웠을 것이다. 원피스를 전체적으로 얌전하고 차분하게 처리한 덕분에 이런 정도의 비대칭적 처리만으로도 큰 효과를 얻을 수 있는 것이다.

옷에서 비대칭적 구조가 너무 과하게 적용되면 자칫 시각적으로 불편해지기 쉽기 때문에 주의해야 한다. 이 디자인은 튀는 부분을 단조로운 부분으로 중화시키면서 그런 문제에 부딪히지 않고, 효과적으로 비대칭성을 표

사진 4_가벼운 좌우비대칭적 표현으로
화려한 시각적 효과를 얻고 있는 패션

현하고 있다.

하지만 비대칭적 효과를 좀더 강하게 표현함으로써 장식적인 효과를 배가시키고 시각적으로 강한 인상을 주는 경우도 있다. 사실 꾸미려면 화끈하게 꾸미는 것이 좋을 수도 있다. 어차피 옷은 남들에게 아름다워 보이기 위해서 입는 것이 아닌가. 이런 경우에는 모든 것을 강하게 드러내고 강도 높은 비대칭적 표현을 할 필요도 있다.

〈사진 5〉는 차분한 색들로 아주 우아한 인상을 풍기는 옷이다. 하지만 그런 우아함 아래로 매우 과격한 비대칭적 표현이 이루어지고 있다는 것도 동시에 볼 수 있다.

재킷의 비대칭적 구조가 전체 분위기를 화려하고 격정적으로 만들고 있다. 재킷 오른쪽에 달린 장식적인 모양은 우선 목을 감싸는 장신구에서부터 검은색 재킷 · 치마 · 부츠로 이어지는 엄숙하고도 단정한 분위기에 심한 불규칙성을 구사하면서 시각적 인지도와 화려함을 극대화하고 있다. 검은색의 엄숙하고 대칭적인 형태에 피어난 듯한 화려하고 비대칭적인 장식은 장갑과 가방의 화려함과 더불어 시각적으로 대단히 큰 효과를 발휘하게 된다.

〈사진 6〉의 패션 디자인은 옷만 비대칭으로 디자인한 게 아니라 옷 위에 비대칭적인 요소들을 더 첨가하여 비대칭적 성격을 더 강화해 대단히 파워풀한 인상을 주는 디자인이다.

옷의 일반적인 실루엣과는 거리가 있는 모양의 실루엣을 가지고 있고, 어

사진 5_ 강렬한 비대칭적 표현으로
화려함이 고조되어 있는 디자인

깨에서부터 시작되는 비대칭적인 선은 가슴과 허리를 지나면서 크게 과장되다 치마에서는 정상적으로 흐른다. 왼쪽의 다이내믹하게 과장된 곡선에 비해 오른쪽은 몸의 모양을 클래식하게 따르기 때문에 옷의 좌우가 크게 대비를 이룬다. 그러나 이 옷의 아름다움은 단지 대비효과, 불규칙한 형태에서만 오는 것은 아니다. 이 옷을 타고 흐르는 왼쪽의 선, 그 선의 흐름이 마치 유려한 곡선처럼 아름답게 다가오기 때문에 옷 전체가 아름다워 보이는 것이다. 그렇기 때문에 이런 파격적인 옷차림에 대해 추하다거나 복잡하다는 느낌보다는 강한 미적 감흥을 느끼게 되는 것이다.

이처럼 좌우대칭이 반듯해야 할 것 같은 옷에 구현된 비대칭적 질서는, 그것의 강도가 강하고 약하고에 관계없이 모두, 시각적 인지도를 강화하고 장식 없는 장식 효과를 발휘한다. 어울리지도 않는 값비싼 장신구보다는 이런 원리를 구사하는 것이 훨씬 효과적이고 중층적인 결과를 얻을 수 있다. 그러니 옷을 잘 입으려면 옷에 돈을 들이지 말고, 옷을 보는 눈을 키우고 눈에 보이지 않는 원리들을 잘 새겨두자.

사진 6_비대칭적인 옷에 불규칙한 모양들이 첨가되어서
강렬한 조형적 힘을 표출하고 있는 패션 디자인

S T Y L E

03 스타일

몸을 완성하다 I

옷의 인상을 결정짓는 상의

티셔츠 · 원피스 · 재킷···. 이렇게 불리는 옷을 본 적이 없거나 모르는 사람은 없을 것이다. 가르쳐주지 않아도 누구나 옷가게에 가서 이런 옷을 사고, 코디해서 입는다. 하지만 과연 우리는 이런 옷을 정말 알고 입는 것일까?

이름이 아니라 속을 뒤집어볼 필요가 있다. 화려한 스타일은 옷의 겉모습일 뿐이다. 그 안에는 각자의 역할이 자리잡고 있다. 역할을 중심에 놓을 때 옷은 화장기 없는 맨얼굴을 보여주고, 다루기 좋은 상태가 된다. 그리고 그런 역할을 우리 몸에 순조롭게 조화시킬 때, 옷을 잘 입었다는 말을 듣게 된다. 그렇다면 수많은 옷은 각각 어떤 역할을 하고 있으며, 그것들을 어떻게 조화롭게 활용해야 할까?

1 상의를 고르다

상의는 얼굴에 가깝다. 그리고 얼굴과 팔, 허리와 가슴 등이 모여 있다. 하의와는 다른 특징이다. 그래서 상의는 옷 전체의 인상을 대부분 결정하며, 하의에 비해 복잡하게 생겼다. 때문에 상의를 입는다는 것은 알고보면 참 어려운 일이다. 우선 상의를 구성하는 각각의 요소가 어떤 특징을 가지고 있는지 잘 살펴보자.

목 선 에 서 살 아 나 는 얼 굴

우리는 얼굴만 보면 상대가 누구인지 금방 안다. 너무 당연해서 아무도 이상하다고 생각하지 않지만, 가만히 생각해보면 정말 신기한 일이다. 어떻게 얼굴만 보면 어렵지 않게 60억 인구를 모두 구별할 수 있을까? 이유야 어떻든 얼굴은 그 사람의 인성(Character)이 드러나는 가장 강렬한 부분인 것만큼은 틀림없다.

패션이 옷을 입은 사람의 개성을 표현하는 것이기는 하지만 얼굴에 비한다면 맨발로 뛰어도 따라잡기 힘들다. 아름다움도 그렇다. 아무리 명품으로 잘 차려 입는다고 하더라도 타고난 아름다운 얼굴은 절대 따라갈 수 없다. 하지만 얼굴에는 천조각 하나 덮이지 않는다. 하늘의 축복을 받지 않은 몸매야 옷으로 어떻게 눈가림할 수 있지만, 얼굴은 패션이 닿을 수 있는 범위를 넘어서버린다. 그렇다면 패션은 얼굴에 대해 할 수 있는 일이 없는 것일까?

그럴 수는 없다. 옷을 잘 입는 것도 궁극적으로는 아름다워 보이기 위함인데, 사람의 몸에서 가장 중요하다고 할 수 있는 얼굴을 빼고 어떻게 패션을 생각할 수 있을까? 설사 관련이 없다고 할지라도 뒷짐 지고 있을 사안은 아니다.

잘 살펴보면 아래에서 몸을 감싸고 올라가던 옷이 얼굴 바로 아래에서 끝나는데, 얼굴은 그 위에서 옷의 모든 인상을 총체적으로 마무리하고 있다는 것을 알 수 있다. 얼굴이 옷과 직접적으로 연결되지는 않지만 옷은 결국 얼굴을 돋보이게 하면서 제 역할을 마무리하고 있는 것이다. 말하자면 얼굴이 작

얼굴의 받침대 역할을 하는 옷

품이라면 옷은 작품대의 역할을 하고 있다.

얼굴이 그림이라면 그 아랫부분은 액자처럼 얼굴을 돋보이게 하고 있기 때문에, 얼굴이 어떻게 보이는가 하는 것은 이 액자 즉, 목둘레부분에 의해 크게 좌우된다고 할 수 있다.

얼굴을 위한 액자, 목선(neckline)

세계적으로 유명한 조형심리학자 루돌프 아른하임(Rudolf Arnheim)은 "본다는 것은 운동을 지각하는 것"이라고 했다. 그의 말처럼 형태는 아무리 멈추어져 있는 것이라 하더라도 조형적으로 어떤 방향성을 가지고 있다. 예를 들어 둥근 원과 원호가 위아래로 나란히 있다면, 이 형태를 보고 전체적으로 둥글게 흐르는 움직임을 강하게 느끼게 된다. 좀더 나누어보면 좌우로 부드럽게 흐르는 움직임을 느낀다.

이게 만약 도형이 아니라 얼굴과 목이라면 어떨까? 이처럼 형태에 관한 간단한 원리는 옷의 어울림에 관한 원리로 쉽게 바뀐다. 동글동글한 얼굴과 그 아래 상의에 의해 만들어지는 목선이 둥글면, 전체적으로 부드럽고 귀여운 느낌이 강조된다. 물론 둥근 얼굴에 이런 목선이 함께하면 달덩이처럼 보이는 부작용도 있다.

하지만 다소 긴 얼굴과 목을 가진 사람이 이런 목선의 옷을 입으면, 얼굴도 둥글어 보일 수 있고 목도 적당한 길이로 보일 수 있다.

목선이 꼭 둥글게만 파이라는 법은 없다. 목선이 깊게 파일 수도 있는데, 그 조형적 효과는 원과 삼각형 간의 구성으로 쉽게 살펴볼 수 있다.

원이 있고 그 아래에 역삼각형이 자리잡고 있으면 세로방향으로 강한 동세가 형성된다. 전체적인 어울림도 단단하고 클래식해 보인다. 좌우대칭이 엄격한데다, 원의 둥근 모양과 삼각형의 날카로움이 서로 상쇄되지 않고 잘 살아있기 때문이다. 이 모양도 앞과 마찬가지로 인체와 옷에 응용할 수 있다.

예컨대 얼굴은 둥근데 목선이 세로로 길쭉하고 날카롭게 파인 옷을 입으면 형태의 대비가 심해져서 좀더 날카롭고 지적으로 보일 수 있다. 그저 마음씨 좋은 동네 아가씨가 아니라 커리어우먼이나 개성파 여인으로 보일 수 있는 것이다. 목이 좀 짧은 사람이라면 목선이 좀더 파인 옷을 입는 것이 좋다. 파

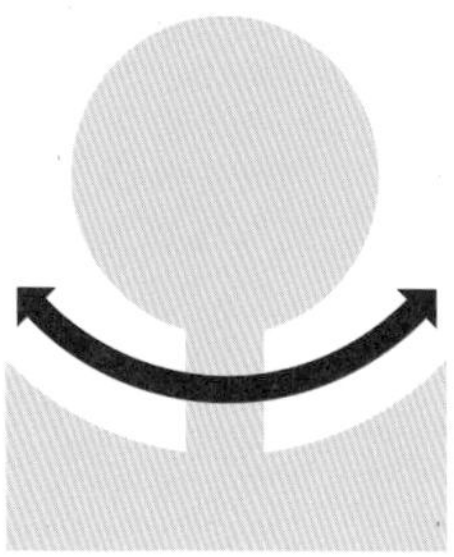

두 원호의 시각적 효과와 방향성

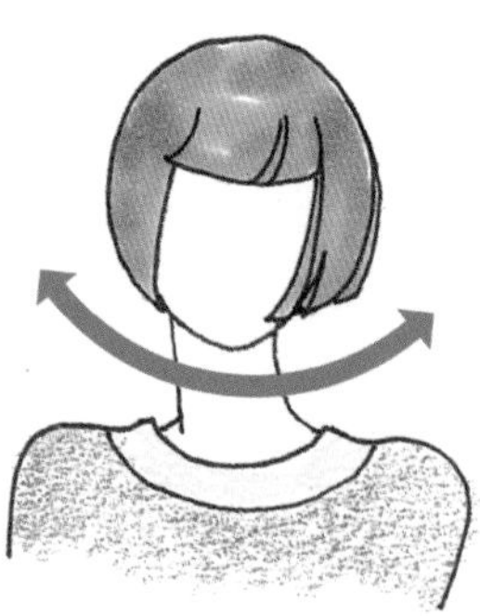

둥근 얼굴에 둥근 목둘레선을 가진 옷을 입으면 얼굴이 더 둥글어 보인다

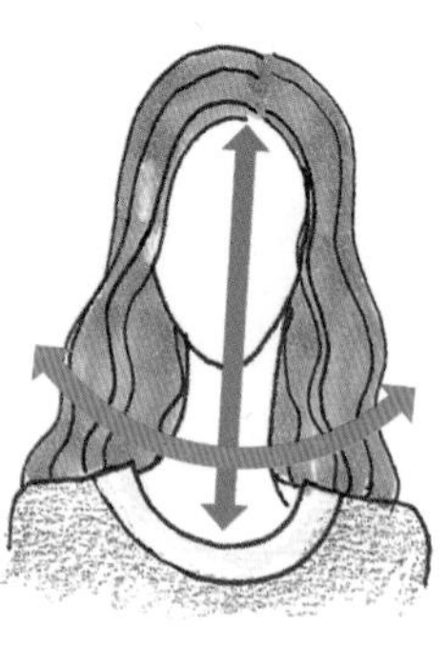

다소 긴 얼굴에 둥근 목둘레선의 옷을 입으면 동세가 중화되어 얼굴이 둥글어 보일 수 있다

인 목선이 수직방향의 동세를 더해주어서 목을 더 길어 보이게 한다.

반대로 얼굴이 역삼각형에 다소 길쭉하게 생긴 사람이 깊게 파인 상의를 입으면, 안 그래도 긴 얼굴과 긴 목이 더욱 길어 보인다.

이처럼 상의에서 목선은 목이나 얼굴의 모양에 대단히 큰 영향을 준다. 옷만 보면 별로 차이가 나지 않는 것 같지만, 목선의 처리에 따라 얼굴의 이미지가 크게 달라진다. 다른 부분도 아니고 얼굴에 직접적인 영향을 미치기 때문에 상의에서 우선 챙겨야 할 부분은 목선이라고 해도 과언이 아니다.

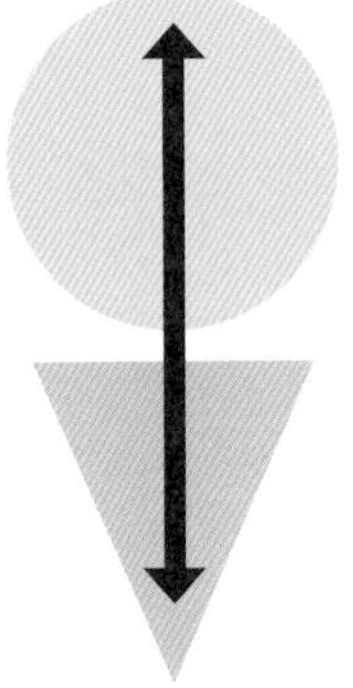

원과 역삼각형으로
이루어진 구성의 동세

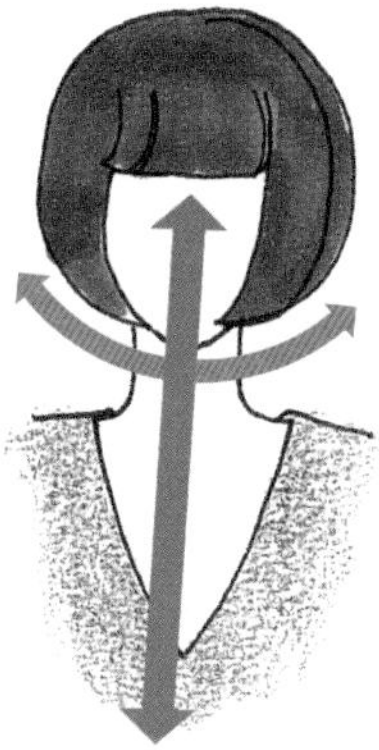

둥근 얼굴에 쐐기형 목파임의
옷을 입으면 날렵해 보일 수 있다

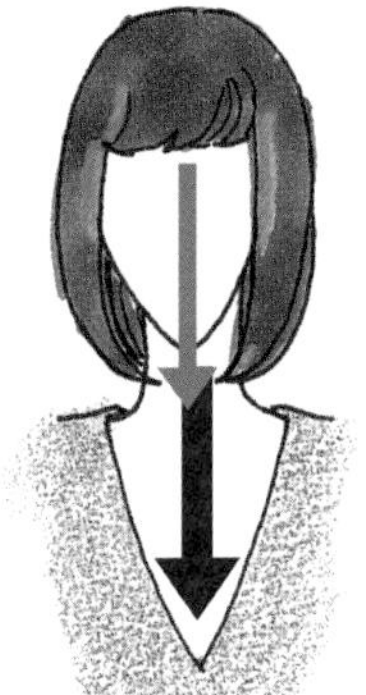

역삼각형 얼굴에 역시 쐐기형
목파임의 옷을 입으면 길어
보이는 느낌이 배가된다

목선을 처리하는 다양한 방법

상의에서 목선을 처리하는 방법은 한둘이 아니다. 너무 많아서 혼란스럽기도 하다. 하지만 목선의 처리는 목을 파거나 목을 가리거나 딱 두 가지로 요약·정리할 수 있다.

우선 목을 깊게 파면 얼굴과 목과 옷 사이의 면적이 커진다. 이렇게 얼굴과 옷 사이에 여백이 많이 생기면 이 여백은 어떤 식으로든지 얼굴 모양에 영향을 미친다. 예컨대 얼굴 면적이 더 확장된다든지, 목의 길이가 실제보다 길어 보인다든지 하는 착시효과가 다양하게 발생한다.

반대로 옷을 목 위로 바짝 올려서 목선을 감출 경우에는 얼굴과 옷이 완충 공간 없이 바로 연결되기 때문에 착시효과가 들어갈 여지가 없어진다. 따라서

목을 처리하는 두 가지 방법

이 경우는 목선 처리에 그다지 특이할 만한 사항은 없다.

그렇기 때문에 옷에서 목선은 결국 목을 가리는 것보다는 목을 파는 경우에 주로 해당되는 문제라 할 수 있다. 말하자면 목이 어떻게 파일 경우에 어떤 착시효과가 일어나는가 하는 것이 옷에서 목선이 가진 문제라 할 수 있다.

만약 가로로 길쭉한 타원이 있다면 가로방향으로 확산하는 어떤 조형적 운동감을 느끼게 된다. 반대로 세로로 길쭉한 타원이 있다면 세로방향으로 움직이는 운동감을 느끼게 된다. 모양은 비슷하지만 움직임의 방향은 완전히 반대로 나타난다.

목의 파임도 가로와 세로 두 가지 방향의 동세를 중심으로 살펴볼 수 있다. 예컨대 옷의 목선이 세로로 파이는 수가 있고 가로로 파이는 경우가 있다.

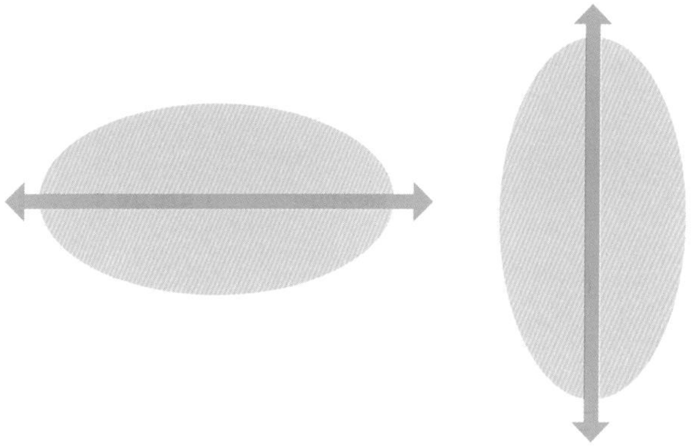

타원의 방향에 따른 운동감의 차이

스퀘어네크라인 · 로네크라인 · 오프숄더네크라인 등은 가로방향으로 파이는 경우라고 할 수 있다.

반대로 V네크라인이나 스쿠프트네크라인 · 다이아몬드네크라인 · 홀터네크라인 등은 세로방향으로 파이는 경우라고 할 수 있다.

이런 동세의 특징이 얼굴모양과 어울릴 때 대단히 중요한 착시효과를 유발시킨다. 예컨대 얼굴모양이 사각형이거나 원형인데 목이 짧다고 생각해보자. 얼굴이 둥글납작하고 목이 짧은 사람에게서는 가로로 흐르는 동세가 더 많다. 이런 얼굴을 가진 사람이 가로방향의 동세가 강한 목선을 가진 옷을 입으면 전체적으로 얼굴과 상체가 빵빵하고 납작해 보일 수 있다. 반대로 이런 얼굴에 세로로, 그것도 다소 직선으로 강하게 파이는 네크라인의 옷을 입으면 얼

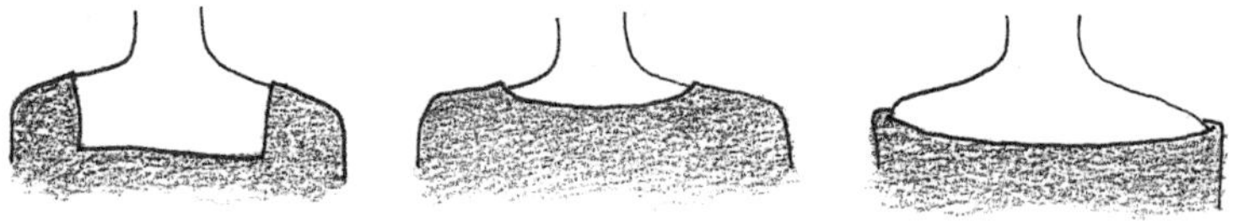

가로방향의 동세가 강한 스퀘어네크라인 · 로네크라인 · 오프숄더네크라인

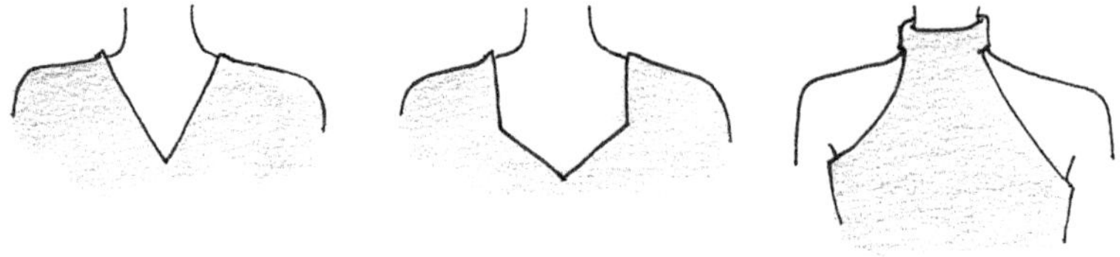

세로방향의 동세가 강한 V네크라인 · 다이아몬드네크라인 · 홀터네크라인

굴과 목이 길어 보인다.

반대로 얼굴과 목이 긴 사람에게는 세로로 흐르는 동세가 강하게 나타난다. 이런 얼굴에 세로의 동세가 강한 네크라인을 매치하게 되면 긴 얼굴과 목이 더욱 길어 보인다. 반대로 가로로 흐르는 동세가 강한 네크라인과 어울리게 되면 얼굴과 목에 가로의 동세가 더해져서 부드럽고 둥글어 보인다.

개성을 더 강화시키려면 둥근 얼굴은 더 둥글게 긴 얼굴은 더 길게 표현할 수도 있고, 조화를 꾀하려면 둥근 얼굴은 길어 보이게 긴 얼굴은 둥글게 보이도록 하면 된다. 어떤 것이 더 좋다고 할 수는 없고, 각자 필요에 따라 적당한 네크라인을 선택하면 될 것이다.

아예 목을 감추어서 얼굴이 더 이상 길어 보이지 않게 하는 것도 방법이

사각형 혹은 원형에 가까운 얼굴에 짧은 목이 가지는 동세와 가로 · 세로의 동세가 강하게 파인 네크라인과의 조형적 관계

다. 이런 얼굴에는 바토네크라인이나 오프네크라인, 터틀네크라인 등이 더 유리하다고 할 수 있다.

이밖에도 하악골이 약해서 얼굴 모양이 역삼각형으로 다소 뾰족한 느낌의 사람이라면 둥글게 흐르는 느낌이 많은 라운드네크라인을 선택해서 뾰족한 느낌을 상쇄하는 것도 좋은 방법이다.

이처럼 얼굴 모양과 목의 길이, 그리고 목선의 처리는 각각의 조형적 성향을 잘 고려하여 상호절충되도록 해야 한다. 좀 귀찮기는 하지만 조형적으로 여러 차원의 계산을 통해 잘 어울리는 네크라인을 찾을 필요가 있다. 형태의 착시효과만 잘 파악하고 있으면 별로 어렵지 않게 복잡한 네크라인을 소화할 수 있으니 무작정 외우지는 말자.

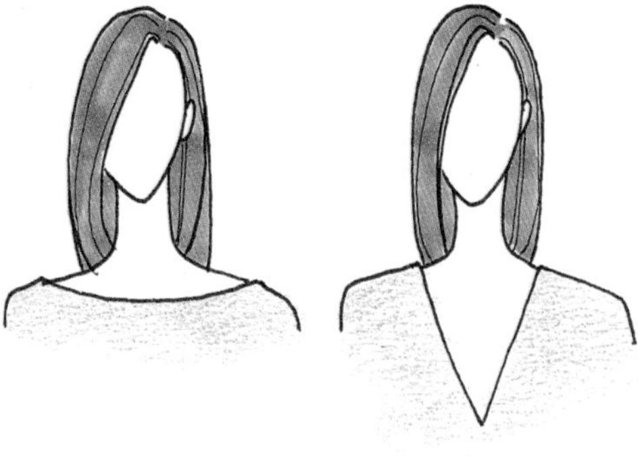

얼굴과 목이 긴 사람의 조형적 동세와 가로 · 세로의
동세가 강한 네크라인과의 조형적 관계

역삼각형 얼굴과 그것의 상쇄

부드러우면서도 강한 어깨선

상의에서 빼놓을 수 없는 것이 어깨선이다. 목에서 어깨를 타고 내려오는 선은 사람 몸의 여러 부분 중에서도 참 아름답다. 완만하면서도 가파른 웨이브의 흐름은 보는 사람의 눈을 잡았다 놓았다 하면서 매력을 흘린다. '옷걸이가 좋다' 라는 말은 여기서 나온 표현이 아닐까?

상의의 목선이 얼굴의 이미지를 좌우한다면, 어깨의 끝부분은 옷 전체의 이미지를 좌우한다고 할 수 있다. 옷의 실루엣에 큰 영향을 미치기 때문이다.

상의에서 어깨의 선은 크게 두 가지로 나누어진다. 큰 과장 없이 우아한 곡선을 이루면서 부드럽게 흐르는 형태가 있다면, 어깨를 실제 이상으로 과장

부드럽게 흐르는 어깨선과 과장된 어깨선

어깨를 강조한 근세 서양의 남성복

하는 형태가 그것. 어깨를 크게 강조하지 않은 어깨선은 우아하면서도 부드러운 여성적인 느낌을 준다. 반대로 어깨를 과장한 옷에서는 단단하고 남성적인 느낌이 난다. 아무래도 어깨가 커 보이기 때문에 역삼각형의 실루엣이 만들어져서 그런 것이다. 그래서 남성복의 경우에는 아주 옛날부터 어깨를 실제보다 강조하는 전통이 많이 발견된다. 로마네스크 · 비잔틴 · 바로크 · 로코코 시대의 남성의상을 보면 넓은 어깨를 더욱 강조하여 남성적인 강인함을 표현하려는 시도가 많이 보인다.

현대의 남성복도 어깨를 강조하여 남성미를 강하게 표현하고 있다. 특히 재킷에서는 어깨선을 강조하기 위하여 어깨 안에다 패드까지 넣어서 더 넓고

어깨가 강조되었던 80년 대의 파워 슈트

80년대 스타일을 다시 재생시킨
마르탱 마르지엘라의 파워풀한 패션 디자인

단단해 보이도록 한다. 하지만 꼭 남성복에서만 이런 어깨선을 표현했던 것은 아니다. 지금 보기에는 좀 과장되어 보이고 다소 촌스러워 보이기까지 하지만, 1980년대에는 여성복에서도 웬만한 남성복 못지않게 어깨가 강조되었다.

특히 여성 재킷은 어깨에 얼마나 힘이 넘쳤던지 '파워 슈트'라는 별칭도 얻었다. 이렇게 어깨가 강조되면서 여성스러운 느낌이 상당히 감소되어버렸다. 그래서 디스코바지, 힘이 잔뜩 들어가 있는 어깨, 자극적인 원색들로 조합된 80년대의 패션은 지금 미감으로는 차마 눈뜨고 볼 수 없을 정도로 촌스러워 보이는 것이다. 하지만 최근 들어서는 이 80년대의 어깨선이 고스란히 되살아나고 있기도 하다.

마르탱 마르지엘라(Martin Margiela)가 2007년도부터 선보인 파워 슈트를 기점으로 여성복에서 어깨가 조금씩 강조되는 것을 볼 수 있다. 심지어 가장 '핫' 하고 '에지' 있는 룩을 완성하는 데 없어서는 안 될 필수 아이템으로 자리잡고 있는 것 같다. 하지만 어울리지 않으면 달콤한 독이 될 수도 있다.

과장되었어도 남성적이지 않은 어깨선

어깨가 강조된다고 꼭 남성적인 강인함만이 표출되는 것은 아니다. 백설공주의 옷을 보라. 사실 여성복에서도 풍선처럼 부풀어오른 소매가 유행했다. 빨강 머리 앤이 그렇게도 입고 싶어 했지만 마릴라 아주머니가 옷감이 많이 든다고 사주지 않았던 퍼프소매는 앞에서 살펴본 것처럼 남성적이기보다는 여성적 매력을 배가시키는 역할을 한다.

어깨가 과장된 것은 같은데 왜 어떤 것은 남성적인 느낌이 강해지고, 어떤 것은 여성적인 느낌이 강해질까?

앞의 경우에는 어깨의 선이 다소 직선적이며 수평방향으로의 동세가 강조되기 때문에 강한 힘이 느껴지고, 퍼프소매의 경우에는 어깨부분의 과장된 모양이 어깨의 모양이라기보다는 장식으로 보이기 때문에 어깨가 넓어 보이지 않는다. 오히려 어깨부분이 과장됨에 따라 바로 아래의 팔이 실제보다 가늘어 보인다.

그리고 목에서부터 어깨로 내려오던 곡선이 팔의 둥근 모양으로 이어져서

어깨가 둥글게 강조되어서 오히려
여성적인 느낌이 강조되는 퍼프소매

부드럽고 우아한 이미지를 더 강화시키기 때문에 여성적인 아름다움이 배가 되는 것이다. 이런 식으로는 어깨가 강조되면 될수록 대비효과에 의해 여성의 작은 몸통과 팔뚝이 더 가냘파 보인다.

어깨의 힘을 빼면 우아함이 남는다

반대로 어깨선을 과장하지 않고 곡선의 궤적을 그대로 흘러가게 해주면 우아하고 여성스러운 분위기가 만들어진다. 때로는 이런 접근으로 최대의 시각적 효과를 얻는 경우도 있다. 가장 대표적인 사례가 아르마니이다.

남성복이라면 당연히 어깨가 딱 벌어져 남성 호르몬이 줄줄 흐르는 것처

어깨에 들어간 힘을 모두 뺀 남성의 재킷

럼 보여야 할 것 같은데 아르마니는 전혀 반대방향으로 갔다. 남성복, 그것도 남성의 재킷 안에 잔뜩 들어있던 심지를 죄다 빼버리고, 흐물흐물한(?) 재킷을 건장한 남자의 어깨에 흘러내리게 했던 것이다. 목에서 부드럽게 내려오는 선들이 재킷의 선을 통해 그대로 드러나자, 아무리 근육덩어리 남자라도 순식간에 지적이고 우아해 보이기 시작했다. 단지 어깨에 들어있던 패드를 뺐을 뿐인데, 아르마니는 세계적인 명성을 얻게 된다.

어깨선이 과장되지 않고 곡선 흐름이 두드러지면 여성 특유의 부드럽고 온화한 분위기가 강화된다. 따라서 베이직한 여성복은 대부분 어깨선이 자연스럽고 편하게 흐른다. 하지만 너무 곧이곧대로만 가는 것은 재미없다. 같은

어깨의 곡선이 과장되어 여성적인
이미지를 더 강하게 뽑어내는 디자인

접근이라도 전혀 반대방향으로 적용하면 극적인 반전효과를 얻을 수 있다. 아르마니의 경우는 여성복에서는 너무나 당연한 접근을 남성복에다 옮겨놓았기 때문에 획기적인 결과를 얻게 된 것이다.

한편, 어깨선의 이런 곡선 성격을 더 강조할 수도 있다. 목에서 어깨로 내려오는 곡선을 일부러 가파르게 하고, 웨이브의 곡률을 더 키우면 여성적인 분위기가 한층 더 고조된다.

특히 목에서 내려오는 선을 어깨에 닿기 전에 아래방향으로 빼주면 어깨선의 곡률도 원에 더 가까워지고, 어깨도 좁아 보여서 여성적인 아름다움이 배가되는 일석이조의 효과를 얻을 수 있다.

별 것 아닌 것 같아 보여도, 이상에서 살펴본 것처럼 어깨선의 역할은 간단치 않다. 어깨선 하나만으로도 다양한 표현을 할 수 있으며, 특히 실루엣을 만드는 가장 중요한 열쇠이기 때문에 그냥 지나치지 말고 꼼꼼하게 챙겨보아야 할 사항이다. 열쇠가 있으면 문을 쉽게 열 수 있는 것처럼, 어깨선을 제대로 이해한다면 옷을 입는 일이 좀더 자유로워질 것이다.

상의의 아랫부분으로 가면 허리가 나타난다. 허리는 앞에서 살펴본 몸의 비례 · 구조 · 대비 등 거의 모든 것이 관련되어 있는 아주 복잡한 부분이다. 특히 과장된 장식이 들어가지 않는 요즘 옷에서 허리의 존재가 차지하는 비중은 다른 어떤 부분보다도 크다고 할 수 있다.

우선 상의에서 허리의 형태는 크게 몸 안쪽으로 잘록하게 들어가든지, 아니면 밋밋하게 일자로 내려오든지 둘 중 하나다.

어찌 보면 무지 간단한 것이 허리인지도 모른다. 그러나 잘록한 것과 잘록하지 않은 허리의 차이는 그렇게 간단치 않다. 앞서 몸의 구조나 비례에서 살

허리가 들어간 상의,
허리가 들어가지 않은 상의

펴본 것처럼 허리가 들어가거나 들어가지 않은 것은 우선 몸의 아름다움과 복잡한 관계가 있다.

먼저 허리선이 잘록하게 들어간 경우에는 단지 허리부분만 잘록해지는 데서 끝나는 것이 아니라 옷의 실루엣에 큰 변화가 생긴다. 결과적으로는 허리만 들어가는 게 아니라 가슴과 엉덩이가 강조되기 때문에 자연스럽게 몸을 타고 흐르는 S라인이 만들어진다. X라인의 실루엣이 되는 것이다. 허리가 약간만 들어가도 이런 흐름이 만들어지기 때문에 여성의 경우에는 다이내믹한 곡선으로 이루어진 아름다운 몸매를 표현할 수 있다. 섹시해 보이고 싶다면 이처럼 허리가 들어간 상의가 많은 도움이 된다.

그런데 현대 패션에서 허리선의 위치는 다리의 길이를 암시하는 간접적인

허리선의 위치에 따라 달라 보이는 다리의 길이

실마리가 된다.

잘록하게 들어간 허리선의 위치는 다리의 길이를 길어 보이게도 하고, 짧아 보이게도 한다. 따라서 상의를 입을 때 주의해야 할 것은 가능한 한 다리가 짧아 보이지 않도록 허리선의 위치를 자기 몸에 맞춰 조화시키는 것이다.

가리면서 보이기

반대로 허리부분이 들어가지 않아서 밋밋한 실루엣을 가진 상의도 많다. 티셔츠 같이 간편하게 입는 옷이나 H라인의 정장재킷은 일부러 허리라인이 드러나지 않게 한다. 크게는 두 가지 이유이다. 허리에 옷이 달라붙지 않으면 움직이기가 좋기 때문이기도 하고, 조형적으로 허리라인이 들어가지 않으면 섹시한 이미지가 감소하면서 경건하고 지적인 이미지가 만들어지기 때문이기도 하다.

요즘 패션은 신체적 특징을 부각시키는 데에만 과도하게 집중하는 경향이 있는데, 옷이 표현할 수 있는 범위는 그리스적 황금비례의 몸매뿐 아니라 칸트나 아리스토텔레스의 지성에까지 이른다. 옷을 입은 사람의 지적 인상을 강화하기 위해서는 잘록한 허리를 감추는 것이 유리하다.

미야케 이세이(三宅 一生) 의 패션 디자인의 경우에는 허리선뿐 아니라 신체의 여러 물리적 특징을 가리고 옷 자체의 지적 조형성을 강화하여 옷의 위상을 예술의 경지에까지 끌어올리기도 한다. 물론 옷을 입은 사람의 내적 인

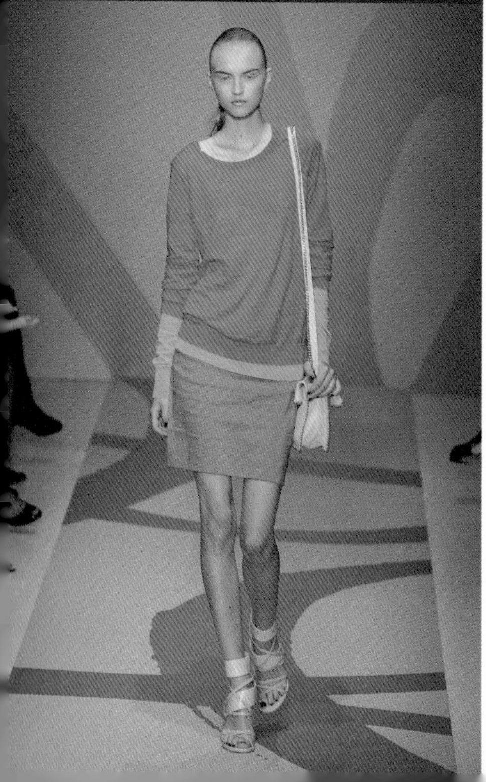

H라인의 재킷과 허리선이 들어가지 않은 티셔츠

오른쪽_ 신체 구조에서 벗어나 예술적인 경지로 승화하고 있는 이세이 미야케의 패션 디자인상도 옷의 예술성과 더불어 극대화된다.

그래서 이세이 미야케의 옷은 예술가들이 특히 선호한다고 한다.

그런데 허리가 들어가지 않은 옷이 가지는 이중적인 성격도 살펴볼 필요가 있다. 때로는 허리라인이 들어가지 않고 오히려 헐렁한 상의를 입었는데도 섹시해 보이는 경우가 있다. 예를 들어 과도하게 커서 무릎 위까지 내려오는 티셔츠를 입었는데도 둔탁하거나 지적으로 보이는 것이 아니라, 허리라인이 과도하게 들어간 옷을 입은 경우보다 더 육감적으로 보이기도 한다. 이는 사이즈가 과도하게 커지면 몸매의 특징이 감추어져서 보는 사람이 상상하게 되기 때문이다. 물론 감춘다고 다 그렇게 되는 것은 아니다. 목선을 깊게 판다든지, 다리에 꽉 달라붙는 레깅스류의 하의를 입어서 상의에 감추어진 몸매를 암시해주는 것이 포인트다. 이것은 공간을 비워서 보는 이로 하여금 경치를 상상하게 만드는 산수화의 여백미와 그대로 일치하는 미학적 접근이다.

수묵으로 그린 산수화를 보면 물이나 먼 경치는 일부러 하얀색 화선지를 비워서 규모를 상상하게끔 만든다. 이

헐렁한 상의가 오히려 섹시해 보이는 경우

여백미가 돋보이는 동아시아의 수묵 산수화

런 그림은 극도로 섬세하고 일일이 사실적으로 그린 그림보다도 훨씬 큰 생동감과 사실적인 느낌을 준다. 그러니 많이 그리는 것보다 그리지 않는 것이 더 큰 기술이라 할 수 있겠다. 헐렁한 옷으로 몸매를 감추는 것도 마찬가지다. 과도한 S라인보다 훨씬 수준 높은 효과를 얻을 수 있다.

그림에서도 그렇지만 옷에서도 보여주는 것보다는 보여주지 않는 데에서 훨씬 많은 것을 표현할 수 있다. 정말 옷을 잘 입는 사람은 눈에 보이는 것보다는 눈에 잘 보이지 않는 것을 보면서 자기의 몸과 옷의 조화를 고차원적으로 표현한다. 허리선 하나만 해도 이처럼 표현 가능성이 다양하다. 문제는 이런 것들을 어떤 수준으로 표현하는가 하는 것이다.

Talk about

재킷의 진화

서양의 옷 중에서도 재킷은 상당히 오랜 시간을 거쳐 진화되어온 아이템이다. 지금이야 여성에게도 매력적인 아이템이 되었지만, 20세기 초반까지만 해도 재킷은 여성이 꿈도 못 꿀 남성복 중의 남성복이었다. 그리고 지금의 재킷은 단단하면서도 엄격한 형태로 단순화되었으나 절대왕정 시절에는 남성복임에도 불구하고 상상도 못 할 천이나 장식을 넣었고, 보석이나 여러 장신구를 사용해서 멋을 부렸다고 한다.

과장된 모양의 푸르푸앵

이런 재킷이 시작된 것은 멀리 르네상스 시대까지 올라간다. 르네상스 · 바로크 시대를 거쳐 유행했던 푸르푸엥은 어깨와 소매, 허벅지 등을 풍선에 바람을 불어넣은 듯 부풀려서 근육과 골격을 강화하여 남성미를 돋보이게 했다. 그리스 · 로마 시대부터 내려오는 인체관을 그대로 표현하고 있었던 것이다.

그런데 이런 과장된 실루엣을 가진 재킷은 움직이거나 생활하는 데서 적지 않은 불편을 야기했다. 여기에 문제의식을 가지고 새로이 나타난 스타일이 쥐스토코르였다.

이 옷은 중세 병사들이 입었던 군복에서 시작되었다고 한다. 군복의 실용성 덕에 쥐스토코르는 푸르푸엥에 비해서는 단순한 형태를 가지고 있었는데, 여기에 베스트와 다리에 달라붙는 바지인 퀼로트(베르사유의 장미의 앙드레 복장을 떠올리면 된다)가 한 세트가 되어서 푸르푸엥을 밀어내고 점차 남성복의 중심이 되어갔다. 로코코 시대의 귀족들은 고급 실크를 사용하고 자수나 단추 등을 이용하여 멋을 부리긴 했으나, 그 전처럼 형태적으로 큰 변화는 없이 지금까지 이어져오게 되었다.

이후로 남성의 재킷은 인체의 강건함을 기능적이고 단순한 형태에 담으면서 발전해왔다. 그러다가 20세기 초 샤넬에 이르러서 드디어 재킷이 여성복에 본격적으로 도입된다.

남성복을 대표해온 재킷이 여성복에 도입되었다는 것은 단지 옷의 문제가 아닌, 대단히 큰 사회적 사건이었다.

옷에 몸을 맞춰 살던 시대, 몸에 옷을 맞춰 사는 시대

요즘이야 여자가 남자 옷을 입는 것은 아무런 사건도 되지 못한다. 아예 남녀의 구분이 없는 옷도 많이 나오고 있다. 그런데 20세기 초반까지는 문제가 좀 달랐다. 특히 여성이 남성의 전유물인 재킷을 입고 다닌다는 것은 상상할 수 없는 일이었다.

기능적인 모양의 쥐스토코르

편리함을 위주로 발달했던 남성복과 여성의
신체적 특징을 과장하면서 발달했던 여성복

우리도 그랬지만, 서양에서는 남자의 옷과 여자의 옷이 완전히 다른 구조로 발달되어왔다. 간간이 영화 같은 데서 볼 수 있는 것처럼 서양, 특히 유럽 귀족주의 시대의 옷은 우선 화려했고 남자의 옷과 여자의 옷이 완전히 다른 구조를 가지고 있었다.

화려했다는 것은 입고 다니기가 상당히 불편했다는 의미를 동시에 가지는데, 그럼에도 불구하고 남성복은 활동성과 기능성 그리고 강한 남성성을 표출하는 방향으로 변화되어왔다. 그러나 여성복은 20세기 초까지만 해도 남성의 전유물로서의 여성, 활동성보다는 성적 은유에 초점을 맞추어 발전되어왔다. 몸이 편한 옷은 꿈도 못 꾸었으며, 코르셋으로 숨도 못 쉴 정도로 허리를 조여야 했고, 크리놀린 페티코트로 자신의 몸보다 몇 배나 큰 치마를 끌고다녀야 했다. 겉은 화려했지만 여성의 옷은 인체 크기로 축소된 소형 감옥, 혹은 천으로 만든 족쇄였다. 여성은 이렇게 화려한 옷 안에서 시대적 관습에 짓눌리고, 남의 시선에 입각해 옷에 몸을 맞춰 살아야 했다. 몇 백 년 동안이나!

그런데 20세기 초에 들어오면서 커다란 변화가 생긴다. 아이러니하게도 그 변화의 시작점은 1차 세계대전이었다. 1차 세계대전이 발생하면서 여성은 전쟁터에 나간 남성을 대신하여 사회활동을 해야 했다. 하지만 코르셋과 부담스런 치마를 두르고서는 불가능했다. 따라서 사회적으로 활동성이 보장되는 아름다운 옷이 요청되었는데, 이런 시대적 변화를 오래 전부터 준비하고 있던 사람이 샤넬이었다.

디자이너가 아닌 여성 해방자 샤넬

20세기 초 샤넬은 그간 남성복의 전용인 것처럼 생각되던 재킷을 본격적으로 여성복에 도입한다. 물론 그 이전부터 남성 재킷을 응용한 여성 재킷이 없었던 것은 아니었다. 하지만 소극적인 수준이었고, 특히 여성의 해방과 편리라는 차원에서 재킷을 이해하고 표현한 경우는 샤넬에 와서부터였다. 그 증거로 치마의 밑단을 구두 위, 종아리 바로 위까지 올려버린다. 순전히 기능적인 이유 때문이었다.

지금이야 여성이 재킷을 입어도 별로 이상해 보이지 않지만 당시에는 여자가 남장한 것으로 여겨질 수 있을 정도로 파격적인 일이었다. 그러나 이것은 단지 하나의 파격으로 끝나지 않았다. 남성복의 전유물이었던 재킷을 여성이 입게 되었다는 것은 문화적으로 사회적으로 대단히 큰 의미를 가지고 있다.

샤넬은 남성복을 상징하는 재킷의 이러한 가치를 정확하게 이해했다. 그래서 그녀는 남성복에서 재킷을 빼앗아(?) 여성에게 맞추어 전리품처럼 나누어준 것이다. 다시 말해 재킷을 통해 남성과 동등한 새로운 여성상을 우아함을 잃지 않으면서 스타일리시하게 제안한 것이다.

현대여성복의 아이콘이 된 샤넬의 여성복

이런 옷으로 인해 몇 백 년 동안 육중한 옷에 갇혀 있던 여성은 하루아침에 신체적 자유를 만끽하게 되었고, 어느새 남성과 평등한 위치에 올라와 있는 자신을 발견하게 되었다.

샤넬이 제안한 것은 단지 옷이 아니라 여성은 남성과 평등한 인간이라는 새로운 인간형이었던 것이다. 그래서 1차 세계대전이 끝나고 남성이 사회에 복귀한 후에도 여성은 다시 과거의 옷으로 돌아가지 않았으며, 재킷을 남성에게 돌려주지도 않았다.

재킷을 비롯한 편리한 의상이 주는 해방감과 평등정신은 전후의 전리품처럼 그대로 가정과 사회에 편입되었다. 이렇게 남성복에서 출발한 재킷은 여성복으로 번역되면서 여성에게 엄청나게 많은 것을 가져다주었다.

2 상의를 입다

샤넬 이후로 옷을 위에 입는 옷, 아래에 입는 옷으로 구분하고 있다. 현대의상을 나누는 가장 기본적인 단위라 할 수 있다. 입고 벗기 편한 쪽을 따르다 보니 그렇게 되었다. 그러나 상의와 하의의 구분은 단지 영역에 따른 분류일 뿐 아니라 옷의 성질에 따른 구분이기도 하다. 달리 말하면 상의와 하의는 속성에 있어서도 판이하게 다르고, 옷이 맡은 역할도 다르다.

상의의 대표주자 재킷

와이셔츠나 티셔츠 등 상의에 속하는 옷의 종류는 한 둘이 아니다. 하지만 재킷은 그 중에서도 가장 대표적인 상의라고 할 수 있다. 모든 상의를 품 안에 담고 있으면서 옷을 입은 사람의 몸매와 인상을 가장 바깥에서 최종적으로 결정짓기 때문이다.

서양식 옷이 어떻다는 것을 가장 잘 보여주는 것이 재킷이라고 할 수 있다. 남여노소를 불문하고 누구나 하나쯤은 가지고 있는 아이템이기 때문에 그런 생각을 하기는 힘들겠지만, 재킷에는 서양 복식의 특징과 원리가 함축적으

사람의 인상을 단정하고 믿음직하게 만드는 재킷

로 들어있다. 하체를 담당하는 치마나 바지의 경우에는 서양이나 동양이나 그리 큰 차이가 나지 않는다.

Just Jacket

같은 옷이지만 재킷은 다른 상의와 많이 다르다. 와이셔츠나 티셔츠가 뼈와 근육이 없는 피부처럼 흐늘흐늘한 반면, 재킷은 뼈와 근육이 모두 구비된 것 같은 견고한 몸을 가지고 있다. 옷걸이에 걸어놓더라도 한 치의 흐트러짐이 없다. 그래서 와이셔츠를 비롯한 다른 상의가 사람의 몸에 덮여지는 것과는 달리 재킷은 갑옷처럼 몸 위에 씌워진다. 재킷은 몸매를 따르는 것이 아니라

건강하고 아름다운 상체를 가진
그리스 시대의 조각과
재킷을 입은 사람의 구조적 유사성

몸매를 결정한다.

그런데 이런 재킷의 단단한 몸은 사람의 상체, 그것도 완벽한 모양의 상체를 따르고 있다. 흐물흐물한 신체보다는 강한 신체가 좋은 것은 두말할 필요도 없다.

원래 남자의 옷에서 출발한 재킷은 강건한 신체를 은유하는 쪽으로 발전했다. 예컨대 가슴부분이 튼튼한 매스를 이루면서 앞으로 나오고, 허리는 잘록하게 들어가서 신체의 날렵함을 은유하고 있으며, 엉덩이를 덮는 재킷의 뒷부분은 업된 엉덩이를 암시하는 모양이다. 그뿐 아니다. 경사지게 내려오는 어깨선에 수직으로 붙어있는 팔은 재킷 전체에 탄탄하고도 절도 있는 이미지를 더하고 있다.

이 모든 특징을 모아놓고 보면 재킷은 그리스 시대부터 서양 사람들이 그려왔던 가장 건강하고 가장 아름다운 이상적인 인간의 몸을 향해 있다.

그래서 설사 완벽하지 않은 몸매를 가지고 있는 사람이라고 하더라도 재킷만 잘 입으면 그리스 신전에서 바로 내려온 듯한 아름다움을, 적어도 흉내는 낼 수 있다. 그러니 재킷은 다른 어떤 상의보다도 맨 앞자리에 놓이게 되는 것이다. 그렇다면 우리는 이 단단하고 완벽하게 생긴 재킷을 사서 그저 입기만 하면 완벽해 보일 수 있는 것일까?

재킷의 서로 다른 두 유형

완벽한 인체의 아름다움을 표현하려 했던 그리스 시대의 조각들을 보면 완벽한 비례미를 지향하긴 했지만 각각의 모양이 다르다는 것을 알 수 있다. 아니, 하나도 똑같이 생긴 게 없다. 그렇다고 해서 어느 하나 아름답지 않은 것도 없다. 완벽해 보이는 인체에는 여러 가지 유형이 있을 수 있는 것이다.

이러한 인체의 유형에 따라서 재킷의 유형도 다양해진다. 여러 가지 종류의 재킷을 입어보면 같은 것 같으면서도 다르다. 어떤 것은 아주 단정하고 경건해 보이는가 하면, 어떤 것은 관능적이고 섹시해 보인다. 더욱 근육질로 보이게도 하고, 아주 슬림하게 보이게도 한다.

어떤 유형의 재킷을 입는가에 따라 몸매가 달라 보이기 때문에 재킷은 그

완벽하지만 각기 다른 구조와
이미지를 가진 그리스의 조각들

냥 입기만 하면 저절로 완벽하게 보일 수 있는 것이 아니라, 유형과 체형과의 조화를 고려하면서 입어야 하는 옷이라는 것을 알 수 있다. 즉, 개개인의 다양한 체형과 다양한 모양의 재킷을 입체적으로 고려하여 최적의 조화를 찾아내야 재킷의 완벽함을 내 것으로 할 수 있는 것이다.

이를 위해서 가장 먼저 해야 할 것은 무엇보다 재킷의 유형을 이해하는 것이다. 재킷의 유형이 어느 정도 이해되면 거기에 따라 체형을 어떻게 맞추어야 할지에 대한 감을 잡을 수 있으며, 나아가 재킷의 다양한 유형을 잘 활용해서 원하는 방향으로 자신의 몸매를 연출할 수 있기 때문이다.

그런데 패션잡지를 도배하는 재킷의 유형은 한 둘이 아니다. 블레이저 ·

전혀 다른 이미지를 보여주는 재킷들

샤넬의 견고한 재킷과 그 이전의 여성스러운 드레스

테일러드 · 크롭트 등 발음하기도 어려운 이름을 가진 수많은 재킷을 하나하나 살펴본다는 것은 쉬운 일이 아니다. 하지만 재킷이 지향하는 완벽한 상체의 모습을 중심으로 살펴보면 어렵지 않다. 재킷, 특히 여성 재킷은 단단하고 엄숙한 신체를 지향하는가, 여성스러운 신체를 지향하는가에 따라 크게 둘로 나눌 수 있다.

재킷이란 원래 남성복이었다. 그래서 재킷은 기본적으로 부드럽고 화려한 이미지보다는 단단하고 건강해 보이는 이미지를 바탕으로 발전해왔다. 그런 까닭에 초기의 여성 재킷은 남성 재킷의 이미지를 크게 벗어나지 않았다. 이런 유형으로 가장 대표적인 것이 바로 샤넬의 재킷이었다.

크리스찬 디오르의 X라인 재킷

샤넬이라고 하면 검은색 재킷을 가장 먼저 떠올리게 되는데, 그녀는 남성복의 상징이라고 할 수 있는 재킷을 여성복에 도입한 장본인이었다. 그녀가 선보였던 재킷은 여성의 신체적 특징을 많이 강조하지 않으므로 해서, 고상하면서도 절도 있는 이미지를 가지고 있었다.

자세히 보면 구조가 견고해 보이고, 직선적인 느낌이 강해서 옷 전체에 엄숙한 느낌이 감돈다는 것을 알 수 있다. 가슴부분에 큰 굴곡이 없어서 단정해 보이고, 허리선이 완만하기 때문에 그런 분위기가 만들어진다. 덕분에 이런 재킷을 입은 여성에게는 20세기 이전의 여성복에서는 찾아볼 수 없던 견고함, 꽉 짜여진 빈틈없음, 우아함 등이 새겨진다. 그래서 남성복의 권위와 건강함이 여성복에도 그대로 이어지게 되었다.

그런데 여성의 신체는 남성과는 완전히 다르다. 여성의 건강하고 아름다운 신체는 가슴과 엉덩이를 흐르는 볼륨감 있는 곡선에서 나오는데, 이러한 특징을 적극적으로 반영한 재킷이 샤넬 이후로 나오기 시작한다. 대표적으로 크리스찬 디오르의 재킷을 꼽을 수 있다.

2차 세계대전 후 크리스찬 디오르는 풍만한 가슴과 잘록한 허리가 강조되었던 프랑스 전통복식의 부활을 외치면서 소위 X라인을 들고 나온다. 넓은 어깨에 허리가 잘록하고 허리 밑단이 엉덩이보다 더 아름다운 곡선으로 휘어져서 S라인의 여성미가 한껏 표현된 재킷이 그 중심에 있었다.

그때까지 재킷은 단정하고 절제된 이미지만을 가지고 있었는데, 이런 유형의 재킷이 등장함으로써 남성복에서 시작된 재킷은 여성복으로 완전히 번역된다.

이렇게 해서 여성 재킷은 남성복에서 유래한 단단하고 차분한 구조의 디자인과 신체의 굴곡을 과장하여 여성성을 강조한 유형의 디자인을 양대 축으로 하여 다양한 스펙트럼을 형성하게 되었다. 전자는 신체의 강건함에 치중한 디자인이라서 정숙하고 격조 있어 보이고, 후자는 여성의 신체적 특징을 강조한 것이라서 부드럽고 섹시해 보인다. 나머지 유형은 모두 이 사이에 있기 때문에 이 두 가지 경향의 특징만 잘 이해한다면 그 가운데에 있는 여러 가지 재킷을 활용하는 데 큰 어려움이 없을 것이다.

재킷과 체형의 궁합

재킷의 유형이 다양하다는 사실은 체형과 관련해서 크게 두 가지 의미를 가진다. 첫째는 다양한 체형을 보완하기 위해 선택할 수 있는 카드가 많다는 것이고, 둘째는 다양한 유형의 재킷으로 원하는 표현을 마음껏 할 수 있다는 것이다. 그러기 위해서 우선 여러 가지 체형과 여러 가지 유형의 재킷이 어떤 궁합을 이루는지 알아야 한다. 대표적인 유형을 살펴보면 재킷과 체형에 관한 대략적인 원리를 알 수 있다.

재킷의 유형을 크게 두 가지로 나누어볼 수 있듯이 체형도 크게 통통하고 마른 두 가지 체형으로 나눌 수 있다. 각각의 체형은 서로 다른 특징을 가지는데, 통통한 체형은 볼륨이 강하고 곡선이며, 마른 체형은 볼륨이 약하고 직선적이다. 그래서 한쪽은 너무 풍족해 보이고 한쪽은 빈곤해 보인다. 이런 문제는 다양한 유형의 재킷으로 보완할 수 있다.

일반적으로 재킷과 체형은 서로 반대로 맞추어주는 것이 좋다. 즉 통통한 글래머형의 체형이라면 몸매의 구조가 잘 드러나지 않으면서 직선적인 느낌을 주는 재킷을 입는 것이 낫다. 볼륨 있는 몸매 위에 속도감이 더해져서 좀 더 날씬해 보이기 때문이다. 반대로 마른 체형이라면 어깨가 좀 나오고 허리가 잘록하게 들어간 S라인의 재킷이 낫다. 체형의 빈곤함을 재킷의 볼륨감이 보완해주기 때문이다. 이처럼 서로 반대되는 유형이 어울리면 체형의 단점이 보완되면서 균형 잡혀 보인다.

하지만 자신의 개성을 표현하려면 오히려 이런 상식적인 접근과는 반대로 가는 것이 유리할 수도 있다. 예를 들어 마른 체형의 사람이 볼륨이 별로 없는 재킷을 입었을 때는 엄숙하고 정갈해 보이는 느낌이 더 강해진다. 반대로 볼륨이 있는 사람이 S라인이 돋보이는 재킷을 입었을 때는 그렇지 않은 사람이 입었을 때보다도 더 섹시하게 더 글래머로 보일 수 있다. 이처럼 개성을 중심에 놓고 보면 자기의 신체적 특징을 강조할 수 있는 재킷을 선택하는 것이 더 어울린다.

물론 그렇게 하더라도 순진하게 반대로만 해서는 안 될 것이다. 자기의 불완전한 체형을 항상 보완하면서 그런 표현을 할 줄 알아야 한다. 예를 들어 마른 체형일 경우라면 단단하고 직선적인 구조의 재킷을 입더라도 어깨가 좀 강

체형에 따른 재킷의 어울림

체형의 특징을 더 돋보이게 하는 재킷

조되는 재킷을 입어야 말라 보이지 않을 수 있고, 통통한 체형일 경우라면 S라인이 돋보이는 재킷을 입더라도 어깨선이 부드럽게 흐르고 허리가 잘록하게 많이 들어간 재킷을 입어야 뚱뚱한 것이 아니라 육감적인 것으로 보일 수 있다.

그러나 체형에 대한 고려만이 재킷의 전부는 아니다.

재킷이 책임져야 할 위 · 아래의 흐름

재킷의 역할이 단지 완벽한 상체의 구현이라는 점에만 그친다면 문제는 간단할 수 있다. 하지만 재킷의 문제는 재킷 자체로 끝나지 않는다. 왜냐면 재킷은 인체에서 가장 중심되는 곳에 위치하고 있으면서 위로는 목과 얼굴, 아래로는 하의와 연결되기 때문이다. 재킷은 이런 관계 속에서 전체의 옷차림을 조율하는 또 다른 역할을 하고 있다.

우선 재킷의 윗부분을 보면 목과 얼굴이 연결되어 있다. 그런데 이 윗부분이 만만치 않다. 왜냐하면 얼굴은 그 사람의 퍼스널리티를 결정하는 가장 중요한 부분이기 때문이다. 그래서 재킷은 체형을 보완하는 역할만 할 수가 없다. 재킷의 또 다른 의무는 얼굴 바로 아래에 있으면서 옷 입은 사람의 인격과 개성을 돋보이게 해야 하는 것이다.

그뿐만이 아니다. 재킷 아래쪽으로 이어지는 다리 쪽의 아름다움도 책임져야 한다. 어깨에서부터 허리와 엉덩이 바로 위까지 이어지는 재킷의 아름다운 구조가 그 아래 다리까지 이어지지 않는다면 재킷의 노력은 물거품이 되고 만다. 다리가 짧아 보인다든지 재킷의 형태적 특징이 제대로 하의에 이어지지 않는다면, 설사 재킷이 완벽하다 하더라도 전체의 옷맵시는 나락으로 떨어질 수 있다. 그렇기 때문에 신체 중간에 있는 재킷이 풀어야 할 문제는 아주 복잡하다.

재킷의 얼굴 라펠

라펠은 재킷이나 코트의 접혀있는 옷깃을 말한다. 하지만 라펠은 단지 접혀진 천이 아니다. 만일 이 부분이 없었다면 재킷이 재킷일 수 있었을까? 라펠은 재킷에서 가장 눈에 잘 띄며, 거의 재킷의 이미지를 책임지는 재킷의 얼굴이라 할 수 있다. 또 얼굴과 목에서 재킷으로 이어지는 흐름에서 가장 중요한 역

얼굴과 목을 부각시키는 액자 같은 라펠

할을 하고 있다. 어떻게 보면 라펠은 목과 얼굴을 두드러져 보이게 만드는 액자와도 같다.

아닌 게 아니라 재킷을 입은 사람을 보면 V자로 벌어진 라펠에 의해 떠받쳐진 얼굴을 보게 된다. 이때 라펠의 벌어진 각도와 다양한 모양은 그림의 액자처럼 얼굴의 이미지를 돋보이게 하는 역할을 한다. 셔츠의 네크라인이 얼굴과 목의 형태에 직접적인 영향을 미치는 것과는 좀 다르긴 하지만, 라펠은 사람의 얼굴이나 목의 외곽에서 효과적인 측면지원을 하고 있는 것이다.

우선 라펠의 종류에 따라 형성되는 각도들을 보면 기다란 V자를 형성하는 것이 있고, 짧은 V자를 형성하는 것이 있다. 앞의 경우 목 아래로 길고 뾰족한 모양이 만들어지는데, 이것은 얼굴과 목과 하나로 이어져서 머리 위에서

라펠의 길고 짧은 V형 각도에 따른 심미적 효과

부터 가슴 아래쪽으로 내려오는 강렬한 동세를 형성한다. 그렇게 되면 얼굴은 작고 길어 보인다. 얼굴이 다소 큰 사람이라면 권장할 만한 스타일이다. 그리고 이런 각도의 라펠은 라펠과 얼굴 사이에 드러나는 재킷의 면적이 넓어서 셔츠가 얼굴을 장식할 수 있는 여유가 많다. 화려해 보이고 싶다면 레이스나 장식이 많이 들어간 셔츠를 매치하면 좋고, 그렇지 않다면 검소한 형태로 차분하고 얌전한 분위기를 연출하면 된다.

한편 뒤의 것은 재킷과 셔츠와 얼굴이 큰 간격 없이 중첩되어 만나기 때문에 시선이 다른 데로 가지 못하고 얼굴에 집중되는 특징이 있다. 특히 턱의 V형, 셔츠의 V형, 라펠의 V형 등이 비슷한 모양으로 중첩되어서 시선이 얼굴에 집중되도록 할 뿐만 아니라, 둥근 얼굴은 더욱 둥글게 V형 얼굴은 더욱 뾰

직선적인 라펠과 곡선적인 라펠이 주는 인상의 차이

폭이 좁은 라펠과 폭이 넓은 라펠의 이미지 차이

족하게 보이기 쉽다. 머리가 크거나 얼굴이 둥근 편이라면 좀 멀리하는 것이 좋을 스타일이다.

라펠의 형태도 많은 역할을 한다. 액자에도 다양한 형태가 있는 것처럼 라펠에도 다양한 형태가 있다. 뾰족한 것, 둥근 것, 넓은 것, 좁은 것, 주름진 것, 세워진 것, 여러 겹인 것 등 다양한 모양의 라펠은 재킷을 입은 사람의 얼굴을 부각시켜 마치 화랑에 걸린 인물화처럼 만들어준다. 그러나 라펠의 모양은 라펠의 각도와는 달리 체형이나 인상에 그리 제약을 받지 않고 자신이 원하는 것을 선택할 수 있다. 그러나 아무리 선택이 자유롭다고 하더라도 기본적인 원리는 있다.

라펠은 모양이 아니라 구조를 보면 어떤 것이나 다 비슷한데, 크게 보면 직선과 곡선으로 따라 유형을 나눌 수 있다. 그런데 이 두 가지 스타일은 재킷이나 재킷을 입은 사람의 이미지를 아주 다르게 만든다. 직선 모양의 라펠은 아무래도 지적이고 경건한 인상을 주는 반면에 모서리가 굴려지고 곡선으로 디자인된 라펠은 부드럽고 우아한 인상을 준다.

또 하나 짚고 넘어가야 할 것은 라펠의 폭이다. 가령 폭이 좁은 라펠은 재킷을 아주 가벼워 보이게 해주는데, 이것은 곧 옷 입은 사람을 아주 세련되고 젊어 보이게 만들어준다. 반대로 폭이 넓은 라펠은 재킷에 무게감을 더해서 전통적이고 권위적으로 보이게 한다.

이처럼 라펠의 형태와 폭에만 변화를 주어도 재킷과 재킷을 입는 사람의

어깨를 통해 형성되는 재킷의 단단한 이미지

인상을 크게 바꿀 수 있다. 아울러 라펠은 재킷의 완벽한 아름다움을 재킷 위쪽으로 이어지게 하기도 한다. 모두가 라펠이 얼굴에 가까이 있고 재킷에서도 중요한 위치를 차지하고 있기 때문이다.

재킷 윗부분의 인상을 결정하는 어깨

라펠이 얼굴의 이미지에 직접적으로 영향을 미친다면, 몸판과 소매를 연결해 주는 어깨부분은 얼굴에서는 한 걸음 물러서 있긴 하지만, 얼굴을 비롯한 재킷 윗부분의 인상을 결정짓는 데에 혁혁한 공헌을 하고 있다.

목에서 어깨로, 다시 팔로 내려오는 곡선은 여성의 아름다움을 평가하는 중요한 부분 중 하나이다. 그런데 이 위에 재킷을 입으면, 이러한 곡선의 흐름은 단박에 어깨 끝에서부터 90도로 꺾여 어깨와 팔부분으로 나뉜다. 그런데 그러한 꺾임 속에서 단단함과 절도가 우러나온다. 이것은 나아가 재킷의 윗부분과 얼굴에 무한한 신뢰와 강건함을 새겨놓는다. 회사원이나 학생들의 교복에서 흔히 볼 수 있는 이미지는 재킷의 이런 어깨부분이 아니었더라면 만들어지기 어려웠을 것이다.

그런데 여성 재킷에서는 이런 남성적인 딱딱함을 벗어나 여성적인 이미지를 어깨와 팔에 구현하려는 시도가 많이 나타난다. 어깨에 주름을 넣어 둥근 형태를 만드는 것이 한 예이다. 이렇게 되면 어깨에서 팔로 내려오는 선이 서로 대립각을 세우지 않고 둥글게 흐르면서 하나로 이어진다. 물론 그 덕분에

어깨를 다양하게 변형하여 다양한 이미지를 표현하고 있는 재킷들

여러 패션 디자이너가 만든 다양한 모양의 재킷 어깨

어깨나 얼굴에는 온화하고 부드러운 여성적인 느낌이 감돌게 된다.

이처럼 재킷의 어깨선에 변화를 주면 여성적인 느낌뿐 아니라 다양한 이미지를 표현할 수 있다. 어깨선을 좀더 예각으로 넓게 해주면 기존의 재킷보다 훨씬 강하고 그로테스크해 보일 수 있고, 어깨 폭을 좁고 약간 둥글게 해주면 귀여워 보일 수 있다.

최근 들어서는 재킷 어깨의 이러한 가능성이 많은 주목을 받고 있으며, 다양한 디자이너에 의해 다양한 어깨 이미지를 가진 재킷이 나오고 있다.

재킷의 아랫부분을 결정하는 다리 길이

인체는 머리부터 허리까지의 길이, 허리부터 무릎까지의 길이, 무릎부터 발끝

가장 아름다워 보이는 신체의 비례

까지의 길이가 비슷할 때 가장 이상적으로 보인다.

하지만 이런 비율을 가진 사람이 몇이나 될까? 가장 문제는 다리의 길이다. 다른 부분의 비례는 조금 달라져도 크게 문제가 없지만 다리의 길이는 조금만 짧아져도 눈에 확 뜨이고, 전체 몸매를 크게 손상시킬 수 있다. 해결책은 착시효과. 옷을 활용해서 다리를 실제보다 길어 보이게 하는 것이다. 이것은 현대 패션에서도 가장 중요한 과제라 할 수 있다.

그런데 재킷과 그 아랫부분을 조화시킬 때 대두되는 가장 중요한 문제가 바로 하체를 길어 보이게 하는 것이다. 재킷이 사람의 체형을 따르는 것이 아니라 체형을 만든다는 특징과 재킷의 유형에 따른 하의의 궁합을 잘 활용한다면 그리 어렵지 않게 이러한 문제를 해결할 수 있다.

허리의 위치를 높여 다리를
길어 보이게 하는 경우

엉덩이 위치가 노출되면
다리가 아주 짧아 보인다

일반적으로 다리의 길이는 하의가 시작되는 허리띠의 위치와 재킷에서 가장 잘록하게 들어가 있는 허리라인의 높이에 따라 짐작된다. 그런데 서양인에 비해 허리가 긴 동양인은 허리띠와 허리라인이 밑으로 많이 내려와 있어 다리가 짧아 보인다. 이럴 때는 재킷의 허리라인을 실제보다 위로 높여주면 다리가 길어 보인다. 하의의 허리띠가 재킷으로 가려지기 때문에 허리라인만 신경 쓰면 되니 크게 어려울 것은 없다.

그러나 조심해야 할 것이 있다. 무조건 허리선만 높인다고 다리가 길어 보이지는 않는다. 허리선을 위로 올리면서 잊지 말아야 할 것은 엉덩이가 어디서 끝나는지 알 수 없게 재킷의 뒷부분으로 가려주어야 한다. 만약 엉덩이의 끝자락이 약간이라도 재킷의 끝단 아래로 노출된다면 모든 것이 수포로 돌아가버릴 수 있다. 허리선은 위로 올라가고 엉덩이가 쳐져 보여서 다리가 극단적으로 짧아 보인다. 아울러 휘청할 정도로 기다란 허리도 얻게 된다.

여기까지는 일반적인 재킷의 경우이다. 하지만 재킷의 종류는 다양하다. 기본적인 원리는 다르지 않지만, 재킷의 종류에 따라 다리를 길어 보이게 하는 방식이 조금씩 다르기 때문에 재킷의 유형에 따른 다양한 방법을 각각 살펴볼 필요가 있다.

다리가 길어 보이게 재킷 입기

재킷의 종류가 다양하긴 하지만 다리의 길이와 관련해서는 재킷의 길이를 중심으로 살펴보는 것이 좋다. 그렇게 보면 재킷은 크게 세 종류로 구분할 수 있다. 가슴 정도의 높이에서 길이가 끝나는 크롭트재킷, 허리 높이에서 길이가 끝나는 라이딩재킷 · 블루종재킷, 엉덩이를 덮는 높이에서 길이가 끝나는 테일러드재킷 · 블레이저재킷 등으로 나눌 수 있다. 종류는 다르지만 다리가 길어 보이게 하는 방법은 이러한 재킷의 길이에 따라 달라진다.

볼레로라는 이름으로 더 유명한 크롭트재킷은 끝단이 한참 높은 곳에서 끝나기 때문에 상체를 아주 짧아 보이게 한다. 이런 재킷은 착시효과를 연출하기가 참 좋다. 재킷 아랫부분만 가려주면 다리가 아주 길어 보이기 때문이

길이에 따른 재킷의 여러 타입

다. 재킷이 끝나는 부분보다 조금 높은 위치에서 시작하는 하의를 입으면 다리가 진짜 길어 보인다. 보통 이런 재킷에는 허리선이 가슴까지 올라오는 엠파이어 라인의 원피스와 맞추어 입는다. 하지만 이런 정도는 베이직한 시도일 뿐이다. 만일 볼레로 재킷에 허리가 쏙 들어간 원피스를 입는다면 X라인의 실루엣이 형성되어 허리가 상대적으로 아주 가늘어 보이고 볼륨 있어 보일 수 있다.

그러나 조심해야 할 것은 허리의 진짜 위치가 노출되면 이런 효과는 완전히 물거품이 된다는 것이다. 만일 바지나 허리선이 엉덩이에 걸쳐진 로우웨이스트원피스를 입는다면 볼레로재킷 아래로 길게 이어진 허리가 노출되면서 긴 다리 효과를 순식간에 반감시킬 수 있다. 더욱이 밑에 입은 치마나 바지의

볼레로 재킷을 통해 다리를
길어 보이게 하는 방법과 부작용

길이가 짧기라도 하면 사태는 점입가경이 된다. 가슴부분의 볼레로와 약간 긴 허리부분, 그리고 짧은 치마, 치마 아래로 드러난 다리 길이가 모두 비슷한 길이로 4등분되어버린다. 그렇게 되면 허리는 길고, 다리는 짧아 보여서 볼레로의 효과가 무상해진다.

재킷의 밑단이 바로 허리부분에서 끝나는 라이딩 재킷이나 블루종은 허리가 가늘어 보이게는 하지만 다리를 길어 보이게 하기가 상당히 어렵다. 허리선을 숨길 수 없을 뿐더러 엉덩이 부분이 그대로 노출되기 때문이다. 그래서 재킷 중에서 가장 고난도의 착시효과를 구사해야 한다.

다리가 별로 길지 않은 사람이 이런 재킷 아래에 바지류, 특히 짧은 바지를 입는다는 것은 거의 자살행위라 할 수 있다. 그렇게 하면 신체 길이가 크게

다리가 짧아 보이는 블루종재킷

허리선에서 길이가 끝나는
재킷의 다리 길어 보이기

3등분 되어버리고, 다리 길이는 실제보다 훨씬 짧아 보인다. 이런 재킷을 입을 때는 엉덩이가 끝나고 다리가 시작되는 부분을 어떤 일이 있더라도 감추어야 한다. 그렇게 해야 다리가, 적어도 짧아 보이지는 않게 된다.

나아가 다리가 길어 보이고 싶다면 다리에 많이 달라붙는 펜슬스커트보다는 치마의 밑단이 넓게 퍼지는 A라인스커트를 입는 것이 좋다. 그렇게 하면 머리에서 수직으로 내려오던 시선이 재킷 아래에서부터는 사선으로 퍼지게 되어서 눈이 교란된다. 그래서 웬만큼 주의 깊게 살펴보지 않으면 재킷 아랫부분의 다리 길이를 가늠하기가 어렵다. 그리고 아래로 내려가면서 수평으로 퍼지는 치마의 동세는 치마 윗부분이 마치 위로 올라가는 듯한 착시효과를 일으켜서 키를 커 보이게 하고, 상대적으로 다리를 길어 보이게 만들어준다. 물론 이때는 짧은 치마보다는 긴 치마가 착시효과를 일으키는 데 더 유리하다.

블레이저재킷이나 테일러드재킷 같이 일반적인 형태의 재킷인 경우는 앞서 설명한 것과 같다. 허리의 곡선과 재킷에서 엉덩이를 덮는 부분을 활용해서 허리선의 위치를 위로 올려주면 다리를 길어 보이게 할 수 있다.

이처럼 다양한 형태의 재킷은 저마다 다리가 길어 보이게 하는 방법이 많이 다르다. 그래서 자칫 혼란스러울 수도 있다. 그러나 핵심은 하체의 길이가 상체에 비해 길어 보이게 하는 것이다. 그것을 위해 모든 재킷은 허리나 다리가 좀더 높은 위치에서 시작되는 것처럼 보이고자 하고, 실제 위치를 가늠할 수 없게끔 가린다. 이것만 이해한다면 아무리 다양한 재킷이 있다고 하더라도 크게 어렵지 않게 재킷 아랫부분을 길어 보이게 해서 멋진 옷맵시를 연출할 수 있다. 하지만 재킷과 그 아랫부분의 조화에 다리 길이의 문제만 있는 것은 아니다.

재킷과 하의의 궁합

재킷은 아무래도 발랄하고 부드럽기보다는 격조 있고 단단한 이미지가 강하다. 이런 재킷에는 재킷과 유사한 치마나 바지를 맞추어 입는 것이 일반적이다. 그렇게 되면 더없이 차분하고 고급스러워 보이는 정장차림이 된다.

하지만 특별한 의식이 있는 자리가 아니라면 이런 상식적인 연결은 좀 재미없다. 좀더 특별나 보이려면 모험을 해야 한다. 재킷의 이미지와는 전혀 다른 이미지의 치마나 바지를 입어보자. 재킷의 새로운 면모를 맛볼 수 있을뿐더러 강한 개성을 표현할 수 있다.

이것은 조형예술에서 대비효과를 응용하는 것인데, 예를 들어 재킷의 클래식한 이미지와 가장 거리가 먼 캐주얼한 바지나 치마를 재킷과 같이 입으면 대단히 강렬해 보일 수 있다.

서로 다른 조형적 성격이 시각적으로 강한 충돌을 일으켜서 시선을 집중시키기 때문이다. 게다가 이들의 서로 다른 성격은 스파크만 일으키는 것이 아니라, 서로 모자라는 부분을 보충해주면서 미적으로 상승작용을 일으킨다. 대비가 심하면, 강하면서도 세련되어 보이는 것이다.

캐주얼한 이미지 외에도 섹시한 이미지, 화려한 이미지 등 재킷의 이미지와 상반되는 인상의 옷과도 매치시키면 생각지도 못한 다양한 표현을 얻을 수 있다. 이것을 마치 수학공식처럼 어떤 재킷에는 어떤 무늬의 바지를 입어야 한다고 말하는 것은 정의롭지 못하다. 대비의 원리만 이해한다면 어렵지 않게 실현할 수 있으니 많은 시도를 해보도록 하자.

이때 주의해야 할 것은 앞서 살펴본 재킷과 다리 길이에 관한 여러 원리가 확립된 상태에서 이런 대비가 구현되어야 한다는 것이다. 이것만 잘 지켜진다면 재킷처럼 보수적인 옷으로도 멋진 표현을 다양하게 할 수 있을 것이다.

이상에서 살펴본 것처럼 재킷은 현대 복식의 중심이라고 해도 과언이 아닐 정도로 큰 역할을 하고 있다. 우리에게 완벽한 상체를 제공해줄 뿐만 아니라 얼굴을 돋보이게도 하고 다리도 길어 보이게 한다. 많은 종류의 옷이 있지만 이렇게 많은 역할을 하는 옷은 서양옷에서 찾아보기 어렵다. 재킷이 차지하는 위치 때문에도 그럴 것이고, 재킷의 복잡한 구조 때문에도 그렇다.

재킷 안에는 서양옷의 모든 것이 들어있다고 해도 과언이 아니다. 이것을 뒤집어보면, 재킷 하나만 잘 이해하면 모든 옷을 어렵지 않게 소화할 수도 있다는 말이 된다. 따라서 재킷은 다른 어떤 옷보다도 중요하게 살펴보아야 할 아이템이다. 재킷을 잘 입는 매뉴얼을 찾아나선다면 한없이 어려운 일이 되지만, 재킷에 관련된 여러 가지 조형적 원리만 잘 이해한다면 큰 어려움 없이 재킷을 내 것으로 할 수 있을 것이다.

재킷과 하의가 통일되있는 기품 있는 정장

클래식한 재킷과 캐주얼한
하의가 자아내는 강한 이미지들

여러 가지 이미지의 옷들과 어울려서
색다른 인상을 보여주는 재킷

Must Have Item

Jacket

성인이 되면 가장 먼저 마련해야 할 아이템이 재킷이다. 재킷의 특징은 뭐니뭐니해도 격조와 품격. 편한 자리보다는 격식이 필요한 장소와 상황에서 입으며, 그 사람의 인상을 결정하는 중요한 아이템인 만큼 패턴과 소재가 중요하다.

다른 아이템에 비해 고가인 경우가 많지만, 한 번 잘 장만해놓은 재킷 하나는 열 티셔츠 안 부럽기 때문에 구입할 때 자신이 지출할 수 있는 비용 내에서 가장 좋은 것을 고르는 것이 현명하다. 물론 가격이 비싸다고 다 좋은 것은 아니다. 당연히 자신에게 가장 잘 어울리는 것을 장만해야 한다.

1 격조와 품격이라면 완만한 곡선을 가진 검은색의 재킷이 단연 으뜸.
같은 색의 튜브라인스커트를 매치하면 격조와 품격의 극을 달릴 수 있고, 밝고 화려한 치마와 입으면 차분하면서도 화려한 분위기를 낼 수 있으니 무엇보다 먼저 확보해야 할 아이템이다.

2 옷 위를 편안하게 흐르는 재킷은 입기에 편하면서도 나름의 격조도 유지할 수 있는 이중적 성격을 가진 옷이다. 물론 정장에도 어울리지만 이런 재킷은 청바지 위에 입어 주는 게 도리(?)이지 않을까?
재킷은 하의와 어떻게 매치하느냐에 따라 평소에 입을 수 있는 편한 데이웨어(daywear)로도 입을 수 있다. 특히 데님과 함께 입으면 딱딱해 보이는 정장의 느낌과 데님 특유의 젊고 활발한 느낌이 섞인 이미지를 연출할 수 있다.

3 사계절이 뚜렷한 우리나라는 사계절에 따라 옷도 다양하게 갖출 필요가 있다. 특히 재킷은 소재 때문에 크게 봄 · 가을, 겨울과 여름용으로 구별하는데 여름용 재킷은 특히 하얀색으로 구비해두면 좋다. 더운 여름, 원피스에 흰 재킷 하나 걸치면 격식 있는 장소와 편안한 자리를 오갈 수 있는 두 마리 토끼를 잡을 수 있기 때문이다. 유독 하얀색을 강조하는 것은 더운 여름에 시각적으로 시원해 보이고 재킷 안에 어떤 색을 입든지 정리돼 보이기 때문이다.

4 재킷의 맛은 몸을 다림질한 듯이 반듯하게 잡아주는 데에 있다고 하겠지만, 아마존 강을 탐험하면서도 격조를 챙길 수 있을 만큼 편안하게 생긴 아이템도 아울러 챙기는 것이 좋다.
춥지도 덥지도 않은 환절기라면 점퍼보다는 이런 재킷이 좀더 멋쟁이로 만들어줄 것이다.

재킷의 오른팔, 블라우스

인체의 구조와 현대복식의 특성상, 상의는 옷차림의 대부분을 결정한다고 할 수 있다. 그 중에서도 재킷은 몸의 맨 바깥을 감싸면서 옷차림 전체를 책임지는 중책을 맡고 있다. 블라우스의 역할은 이러한 재킷을 최측근에서 지원사격해주는 오른팔이다. 비록 2인자이긴 하지만 블라우스는 재킷을 도와 옷차림새를 책임지는 적지 않은 비중을 가진다.

격식을 차리지 않아도 될 때는 티셔츠가 역할을 대신하기도 하고, 시상식 같이 아주 특별한 경우에는 아예 재킷 안에 들어가지도 않지만, 그런 특별한 경우가 아니라면 재킷 안에는 항상 블라우스(남성이라면 와이셔츠)가 자리 잡고 있다. 일반적인 경우 재킷과 블라우스는 마치 동전의 앞뒷면처럼 항상 붙어 다닌다.

그런데 다른 종류의 옷에 비해 재킷과 블라우스는 변화가 무쌍한 편에 속하는 옷은 아니다. 재킷은 라펠의 폭이나 전체 길이 등 비례만 조금씩 조절하여 스타일을 다르게 하고 있으며, 블라우스 역시 칼라 · 소맷부리(커프스) 정도에만 변화를 주어 다양한 스타일을 만들고 있다. 그래서 재킷과 블라우스는 입기가 더 어려울 수도 있고, 더 쉬울 수도 있다. 변화가 많지 않기 때문에 적당히 입어도 중간은 갈 수 있는 좋은 점도 있기는 하지만, 반대로 남보다 잘 입으려면 변화의 여지가 적은 그 틈새를 뚫고 최대의 시각적 효과를 이끌어내야 하기 때문이다. 하지만 약간의 변화라 하더라도 두 옷의 변화가 합쳐지면 시너지 효과가 두 배 이상으로 커지기 때문에 어렵기만 한 문제는 아니다. 우선 블라우스의 구성부터 살펴보자.

블라우스의 완결성

요즘은 재킷 없이 단독으로 입을 정도로 블라우스의 형태가 다양해졌지만, 블라우스의 기본 구조는 큰 차이 없이 모두 같다. 블라우스는 사람의 상체 형태에 맞게 재단되어서 불편함 없이 몸을 감싸는 구조를 갖는다. 그러니까 몸통 부분을 중심으로 목부분이 뚫려 칼라로 마무리되고, 몸통에는 팔부분이 부착된다. 이렇게 보면 블라우스는 T자형 몸체에 몸판 · 소매 · 칼라 이 세 부분으

블라우스의 구조

로 구성된다고 할 수 있다.

블라우스의 몸판 모양은 한두 가지가 아니지만 크게 두 가지 방향으로 정리할 수 있다. 몸에 꼭 맞게 만들어지거나, 아니면 몸과 블라우스 사이에 큰 여유 공간을 두어서 편하고 헐렁하게 입을 수 있도록 디자인된 것이다. 헐렁한 경우에는 입으면서 크기나 모양을 융통성 있게 조율할 수 있다. 반면에 몸에 꼭 맞는 경우에는 만들기도 어려울뿐더러, 입는 사람의 몸을 옷에 맞추어야 하는 문제가 생길 수도 있다. 하지만 헐렁한 블라우스가 자연스러운 느낌을 준다면, 타이트한 블라우스는 단정하고 지적인 느낌을 준다는 장점이 있다.

블라우스 몸통에 줄 수 있는 변화가 다소 단조로운 반면에, 소매는 디자이너의 개성과 역량에 따라 수 만 가지의 변화를 줄 수 있다. 소매는 생각보다 변

블라우스 몸통의 두 가지 경향

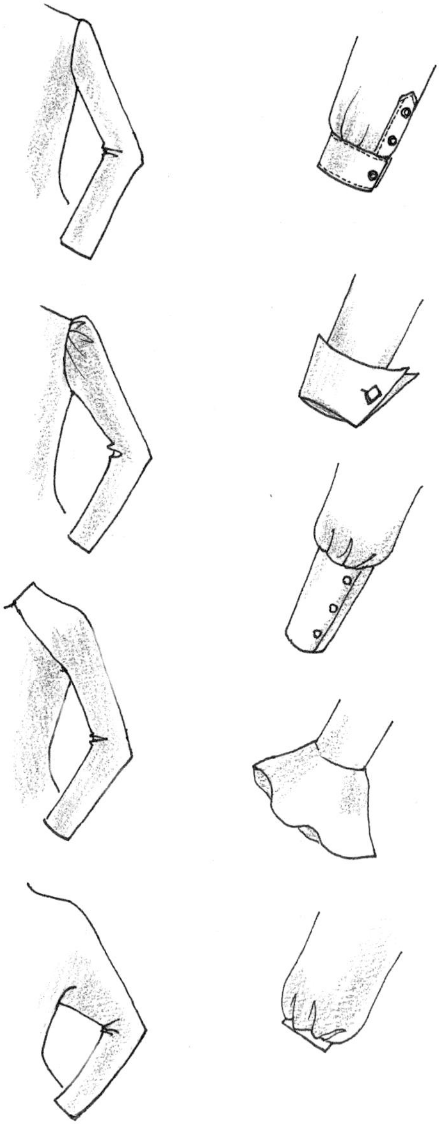

소매와 소맷부리의 다양한 변화

화를 줄 수 있는 여지가 풍부하다. 변화를 줄 수 있는 부분이 두 군데이기 때문이다.

소매의 구성을 보면 팔부분과 소맷부리로 크게 나눌 수 있다. 블라우스는 디자인에 따라 소맷부리가 붙지 않는 경우도 있다. 그래서 소맷부리가 있는 경우에 소매는 타이트하게 팔에 붙는 것, 헐렁하게 여유로운 것, 헐렁하면서 타이트한 것 등으로 다양한 변화를 꾀할 수 있다. 소맷부리 역시 일반적인 타이트한 모양에서부터 화려한 장식을 가미한 형태 등으로 다양한 변화를 줄 수 있다. 그런데 소매와 소맷부리의 이런 다양한 변화를 조합하면 각각의 변화를 산술적으로 합친 것보다 훨씬 많은 변화를 꾀할 수 있다.

블라우스의 칼라는 얼굴을 직접적으로 받쳐주고 있기 때문에 크기에 비해서 조형적 비중이 대단히 큰 부분이다. 게다가 남자의 와이셔츠와는 달리 모양이 가지각색이어서 제대로 맞추어 입기가 상당히 어렵다.

이럴 때는 칼라가 얼굴을 어떻게 보이게 하는가를 중심에 놓고 보는 것이 좋다. 우선 블라우스의 칼라는 크기로 보면 큰 것과 작은 것으로 나눌 수 있고, 목을 드러내는 것 목을 감추는 것으로 나눌 수 있다. 또 단정한 모양과 화려한 모양으로 나눌 수도 있다. 하지만 아무리 칼라가 다양하다고 해도 결론은 블라우스를 입은 사람의 얼굴을 어떻게 보이게 하는가로 모인다.

그렇게 본다면 블라우스의 칼라 역시 앞서 살펴본 상의의 목선이나 재킷의 라펠과 거의 같은 원리를 따른다. 그러니 앞서 살펴본 조형적 원리를 자신

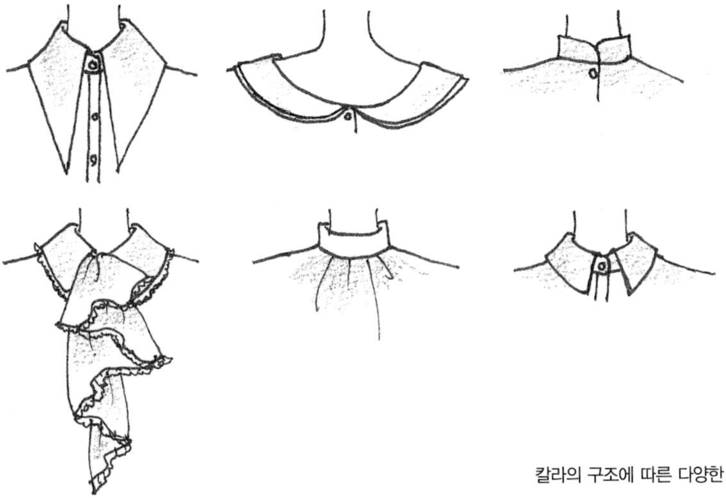

칼라의 구조에 따른 다양한 구분

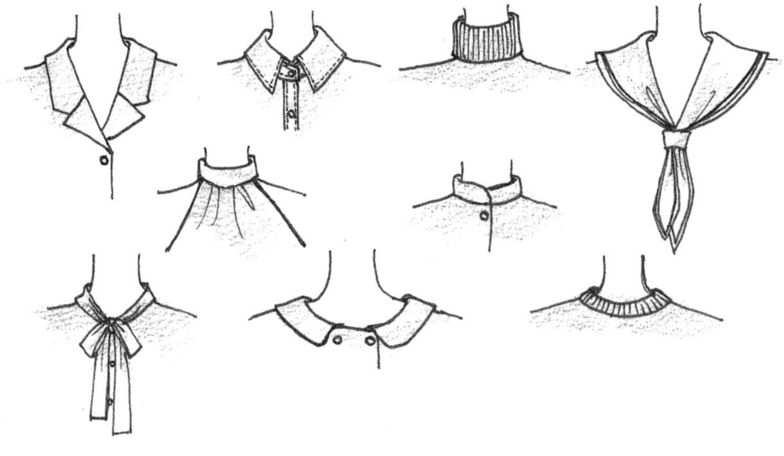

다양한 모양의 칼라

의 얼굴에 맞게, 자신이 표현하고 싶은 이미지에 맞게 활용한다면 아무리 많은 칼라가 있다고 하더라도 어렵지 않게 맞추어 입을 수 있다.

몸체 · 소매 · 칼라 등 각각의 부분에서 가능한 변화도 많지만, 이들을 모두 종합해보면 블라우스 같이 단조로운 아이템 하나에서도 가능한 표현은 생각보다 많아진다. 여기에 재킷의 변화까지 합쳐진다면 상의에서 가능한 표현은 헤아릴 수 없을 정도가 된다. 이 말은 재킷과 블라우스 같은 아이템이 아무리 변화가 적다고 하더라도, 자기가 원하는 표현은 그 안에서 얼마든지 할 수 있다는 것을 의미한다.

아무튼 블라우스의 몸체는 흡사 어떤 그림이나 그릴 수 있는 캔버스 같고, 소매와 칼라 부분은 물감 같다. 마치 화폭에 물감으로 그림을 그리는 것처럼 블라우스 몸통 위에 화려한 재킷과 소매, 소맷부리로 멋진 그림을 그릴 수 있는 것이다. 그런데 이들이 모여 근사한 그림이 되기 위해서는 반드시 블라우스 전체가 하나의 이미지로 통일되어야만 한다.

블라우스의 통일감

블라우스로 표현할 수 있는 이미지는 한둘이 아니겠지만, 크게 보면 단단함과 부드러움 두 가지 방향을 꼽을 수 있다. 이것은 몸을 어떻게 보이게 할 것인가의 문제와 일치하는데, 우선 건강하고 단단해 보이고 싶다면 블라우스는 직선적인 형태나 구조적으로 견고해 보이는 형태를 추구하는 것이 좋다. 반대로 부드럽고 우아해 보이고 싶다면 전체적으로 부드러운 곡선을 머금은, 자연스럽게 주름진 드레이퍼리한 형태를 추구하는 것이 좋다. 그러나 부분을 전체에 조화시키는 것은 여간 어렵지 않다.

예컨대 빳빳하게 각이 선 셔츠칼라에 소매는 소맷부리 없이 부드럽게 마무리되었다면 아무래도 통일감이 떨어진다. 보통 격식이 있는 자리에 갈 때는 재킷과 블라우스를 같이 차려 입게 되는데, 이때 전체와 부분이 통일되어 있지 않다면 자리에 맞지 않아 어색한 차림새가 될 수 있다.

물론 상의의 이미지가 소매와 칼라의 관계에 의해서만 결정되는 것은 아니다. 칼라와 밑단, 소매와 밑단, 몸통과 소매 등에 의해서도 옷의 전체적인 이미지가 결정되고 마무리된다. 하지만 소매나 칼라, 소맷부리가 더 중요하

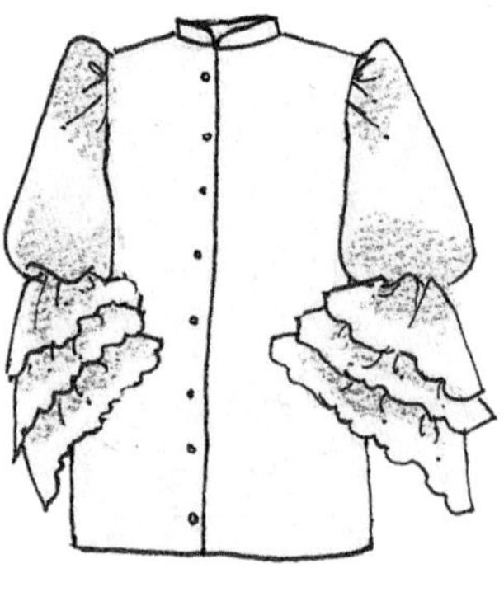

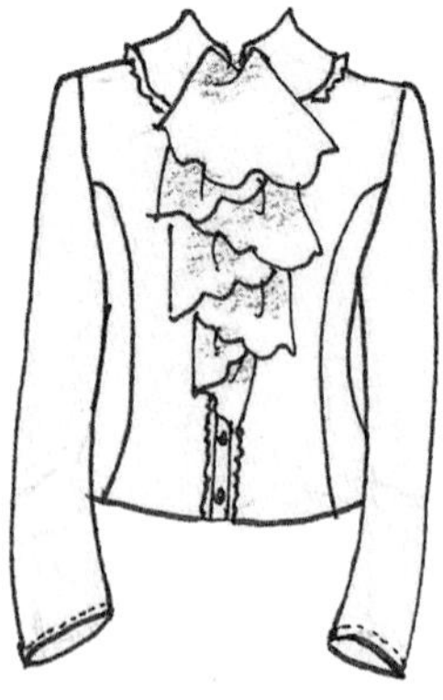

몸통은 단순한데 소매는 화려하고, 몸통은 화려한데
소매가 단조로워 통일감이 떨어지는 블라우스

게 부각되는 것은, 그것 자체로 중요한 것도 있지만 재킷과 함께 입었을 때 이 부분들이 재킷 밖으로 드러나서 전체 옷차림에 직접적인 영향을 끼치기 때문이다.

이처럼 블라우스는 자체의 특징적인 조형성이나 재킷과의 관계에 입각해서 다양하게 변주되고 있고, 옷차림 전체의 인상을 좌우한다.

Must Have Item

Blouse

블라우스는 재킷이 돋보이도록 하는 보조적인 역할도 하지만 재킷을 벗는 순간부터는 주인공이 된다.
재킷과 달리 하늘하늘한 질감의 블라우스가 만들어주는 청초함과 지적이면서도 때론 화려한 면모는 여성의 아름다움을 잔뜩 북돋워준다. 블라우스의 이런 특징을 잘 헤아려서 갖추어야 한다.

1 눈처럼 하얀 블라우스를 입었을 때의 그 청결하면서도 기품 있는 아름다움은 그 어떤 옷에서도 얻을 수 없는 것이다.

타이트하든 품이 넉넉하든 하얀 블라우스 하나면 어떤 옷도 다 평균 이상으로 소화해낼 수 있기 때문에 필수로 확보해야 할 아이템이다. 어두운 톤의 재킷과 어울려서는 차분하고 기품 있는 분위기를 만들고, 복잡하고 화려한 무늬의 스카프나 액세서리와 어울려서는 자칫 도를 넘치는 화려함을 중화시키기도 한다.

2 옅은 살구색이나 복숭아색과 같이 피부색과 비슷한 계열의 색을 가진 블라우스는 흰색의 블라우스와는 좀 다른 매력을 만들어주는 아이템이다.

밝고 은은한 색조에서 우러나오는 부드러운 이미지에, 마치 피부가 비치는 듯한 효과가 어울려서 묘한 분위기를 연출한다. 이런 블라우스는 부드러우면서도 차분한 화려함을 표현할 수 있기 때문에 갖추어놓으면 요긴하게 입을 수 있다.

3 블라우스가 차분하기만 해야 하는 것은 아니다. 화려한 장식과 휘황찬란한 무늬가 베풀어진 블라우스는 단독으로 입기에 그만이다.

재킷이 없는 자리를 이렇게 꽉 채울 수 있는 아이템이 있을까? 게다가 뛰어난 화려함에도 불구하고 블라우스 특유의 차분한 형태가 중심을 잡아주니, 갖추어두면 봄·여름·가을에 긴요하게 입을 수 있다.

4 검은색 블라우스는 묘하다. 차분하고 부드러운 블라우스 특유의 모양에 검은색의 차분함이 드리워지면 희한하게도 섹시해진다.

주변의 옷을 화려하게 입을 필요도 없다. 금속성의 번쩍거리는 질감이 가미되고, 몸에 타이트하게 붙을수록 섹시함이 고조된다. 그것만 신경 쓰고 입는다면 차분함 가운데에 요염함을 표현하는 고차원의 패션 경지에 이를 수 있다.

T자를 닮은 티셔츠

옷의 모양이 T자처럼 생겼다고 해서 티셔츠는 T셔츠가 되었다. 몸통이 들어갈 부분을 튜브 모양으로 하고 거기에 두 팔이 들어갈 부분 역시 튜브 모양으로 붙이면 만들어진다. 다른 옷이 몸의 모양을 따라가기 위해 갖은 애를 다 쓰는 와중에 티셔츠만큼은 이렇게 사람의 몸에 별로 신경 쓰지 않고 만들어졌다.

T자 모양의 천을 앞뒤로 붙여서 만들었기 때문에 팔과 몸통은 수직방향으로 연결되고, 덕분에 옷을 입으면 정확하게 몸을 따르지는 않지만 옷과 몸 사이에 여유가 많아 편하기 이를 데 없다. 어차피 사람 몸에 꼭 맞게 디자인된 게 아니니 입는 사람 마음대로 대충 걸쳐 입어도 누가 뭐랄 것도 없다. 그런 점에서 티셔츠는 한복과 많이 닮아있다. 그리고 이런 편안함 때문에 남녀노소 할 것 없이 편하게 입고 있다.

옷의 성격만 보면 티셔츠를 가장 잘 입는 방법은 그냥 막 입는 것이다. 어차피 멋있으라고 만들어진 디자인이 아니기 때문이다. 하지만 이렇게 여유로 가득 차 있는 옷이기 때문에 잘만 활용하면 그 어떤 옷보다도 표현의 가능성이 높은 옷이기도 하다.

우선 상의의 기본적인 요소 중심으로 티셔츠를 살펴보자. 앞서 살펴본 것처럼 상의는 목선, 어깨의 곡선, 허리선 등이 중요한 체크 포인트인데, 티셔츠는 이 세 가지 부분이 모두 한결같다.

목선은 라운드나 V라인 등이 거의 전부이고, 어깨선은 각지거나 과장된 것보다 자연스럽게 흐르는 것이 대부분이다. 허리라인이 들어갔으면 티셔츠는 T셔츠가 아니었을 것이다. 물론 요즘은 허리가 들어가고 목선이 정교하게 만들어진 티셔츠도 나온다.

하지만 티셔츠의 원래 모습은 상의에서 체크해야 할 모든 요소를 그냥 덤덤하게 처리한다. 아니 덤덤할 수밖에 없다. 기본적으로 티셔츠는 정교한 입체재단으로 만들어지지 않기 때문이다. 그렇다면 티셔츠는 그냥 펑퍼짐하게 생기기만 한 무미건조한 옷일 뿐일까? 사실은 정반대다. 티셔츠에서 변화를 줄 수 있는 부분은 넓고 평평한 몸통 전체이다.

사각형 모양에 넓고 비어있는 티셔츠는 도화지와 다를 게 없다. 무엇을 만

헐렁한 T자 모양의 티셔츠

들 수는 없지만 무엇이든 그려 넣을 수 있다. 인류가 그렸던 모든 그림과 모든 글씨를 넣을 수 있다. 그런 점에서 티셔츠는 다른 어떤 옷도 가지지 못하는 무한한 표현공간을 가졌다고 할 만하다. 하지만 티셔츠의 이런 특징은 패션 디자인보다는 그래픽 디자인에 더 밀착되어 있다. 물론 색의 조화나 스타일 면에서는 충분히 패션 범주에서 다룰 수 있는 문제이기도 하지만 티셔츠에 들어가는 시각적 이미지는 전적으로 그래픽 디자인의 소산이라고 할 수 있다.

아무튼 그냥 헐렁하게만 만들어진 것 같은 티셔츠가 하늘같은 인기를 얻고 있는 데에는 다른 옷이 갖지 않는 이런 표현력이 있기 때문이기도 하다.

그런데 형태가 헐렁하고 그래픽 디자인적 효과가 강한 것이 티셔츠라 하더라도 사람들은 이러한 티셔츠를 보는 게 아니라 입는다. 그래픽 효과의 비중이 크긴 하지만 옷인 이상은 다른 여러 옷과의 관계 속에서 가장 아름다운 옷맵시를 나타내어야 한다. 그렇다면 시각적으로 강렬하면서도 헐렁하고 편안한 티셔츠는 어떻게 입어야 잘 입었다는 소리를 들을 수 있을까?

옷으로서 티셔츠의 특징은 헐렁하다는 것을 꼽을 수 있다. 그런데 몸매가 드러나지 않는 헐렁한 상의에 헐렁한 하의로 대응한다면, 옷맵시 또한 헐렁해질 수 있다. 타이트한 옷을 위 · 아래로 입어도 에지가 날까말까 한 판국에 이런 선택을 한다는 것은 무리수다.

헐렁한 옷을 입을 때는 '대비'의 원리를 항상 생각해야 한다. 한쪽이 헐렁하면 한쪽은 반대로 아주 타이트하게 해주는 것이 좋다. 헐렁한 티셔츠를

무궁무진한 그래픽 효과를 줄 수 있는 티셔츠

입었다면 그 아래에는 레깅스나 스키니진처럼 다소 타이트한 바지를 입거나, 아주 짧은 미니스커트를 입으면 티셔츠와 대비효과가 생겨서 오히려 다리가 실제보다 더 길고 날씬해 보일 수 있다. 나아가 헐렁한 티셔츠에 숨겨진 몸매도 황금비례로 보일 수 있다.

몸에 쫙 달라붙지는 않더라도 티셔츠를 다소 타이트하게 입었을 경우에는 또 다른 대비효과를 꾀할 수 있다. 티셔츠에는 그래픽 효과도 많이 들어가고, 모양도 단순하기 때문에 아무래도 가볍고 활발해 보인다. 여기에 풍성하면서도 고전적인 느낌의 하의를 받쳐주면 대비효과가 일어나서 옷 전체에 무겁지 않으면서도 단아한 분위기가 만들어진다. 고답적이지 않으면서도 고전적으로 보일 수 있으며, 무겁지 않으면서 세련되어 보일 수 있다.

또 하나 재미있는 현상은, 헐렁한 티셔츠를 조금만 손봐주면 몸매가 타이트하게 드러난 것보다 더 섹시해 보일 수 있다는 것이다.

예를 들어 티셔츠의 허리 부근을 허리띠로 조금만 묶어주면, 일자로 내려오던 티셔츠에는 단박에 S라인이 생기면서 여성적인 아름다움이 더욱 배가된다.

이처럼 너무 단순해서 별것 아닌 것처럼 보이는 티셔츠지만 이 안에서도 역시 대단히 다양한 표현이 가능하고, 어떻게 입는가에 따라 그 효과는 천지차이로 달라질 수 있다.

헐렁한 티셔츠에 매치할 수
있는 여러 가지 하의와 그 효과

EVE

NIK

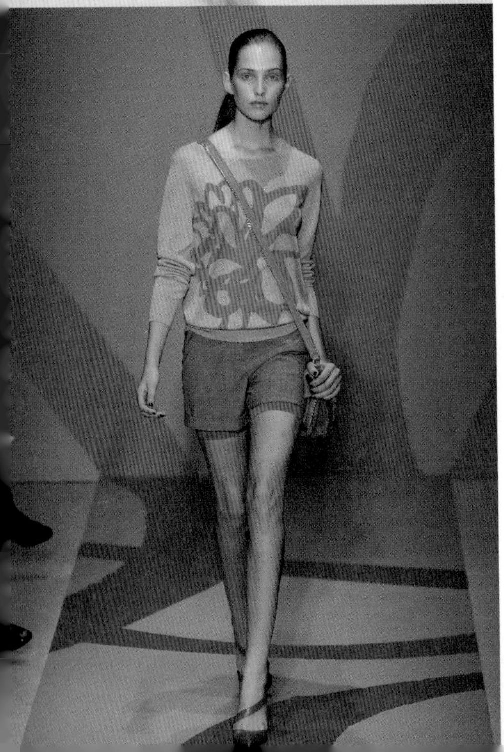

타이트한 티셔츠에 고전적인 분위기의
치마를 매치하여 캐주얼하면서도
고상한 분위기를 연출한 경우

허리 부근을 조금만 묶어주어도
몸매 전체에 S라인이 생기는 헐렁한 티셔츠

Must Have Item

T-Shirt

바쁜 현대사회에서 격식을 차리고 살기란 쉽지 않다. 그렇게 산다고 하더라도 지하철이나 사무실, 아파트 같은 주변 상황이 격식을 받아줄 수 있을 만큼 럭셔리하거나 편리하지도 않다. 티셔츠가 각광받는 것은 그래서라고 할 수 있다.

모양도 간단하고, 편안하게 입고 다닐 수 있다. 게다가 어울리지 않는 곳이 없으니 옷으로서의 포괄성은 그 어떤 옷도 따라잡지 못한다. 그러니 티셔츠 몇 장은 누구나 가지고 있어야 할 필수 아이템이다. 게다가 사회의 권위의식이 사라지면서 티셔츠의 가치는 더욱 각광받고 있으니, 현대인이라면 티셔츠를 향한 눈길을 쉽게 거둘 수 없다.

1 티셔츠의 가장 기본적인 형태는 하얀색에 알파벳의 T자로 생긴 것이다.
약간 헐렁하게 입는 옷이니 몸매가 어떻게 생겼든, 바지나 치마 어떤 것을 입든 잘 어울린다. 가슴의 하얀 여백에 들어가는 그래픽만 잘 고르면 반은 먹고 들어간다. 다만, 말도 안 되는 영단어가 들어가거나 밑도 끝도 없는 그림이 그려져 있는 것만 피하도록 하자.

2 사실 티셔츠에서 소매를 빼면 티셔츠가 아니지만 사람들은 그냥 티셔츠라고 한다. 이런 모양의 티셔츠는 헐렁해서 편안하기만 한 티셔츠에 섹시함이라든가 강인함과 같은 특정의 이미지를 표현할 수 있다. 편안하게 입으면서도 이런 장점을 가지고 있기 때문에 특히 한여름에 남자나 여자나 한 번쯤 입고 다닐 만한 아이템이다. 다만 몸이 많이 노출될수록 옷차림에 걸림돌이 되는 것은 옷이 아니라 몸이라는 것만 생각하자.

3 티셔츠의 일반적인 길이는 허리라인이다. 하지만 허벅지 중간까지 길이를 연장한 티셔츠도 쓰임새가 다양하다.

이런 티셔츠는 편안한 상의에서 그치지 않고 치마에까지 연장되면서 재미있는 옷차림을 만들기도 한다. 이런 길이의 티셔츠를 매우 헐렁하게 입고, 그 안에다 레깅스 같이 다리에 짝 달라붙는 하의를 입으면 대비감이 생겨 세련된 옷차림을 연출할 수 있다. 맨다리는 너무 자극적이기 때문에 집밖에서는 좀 자제하는 것이 좋다.

4 티셔츠는 형태가 단순하고 싸기 때문에 여러 개를 사서 겹쳐 입을 수 있다.

예컨대 타이트한 티셔츠를 안에 입고 헐렁한 티셔츠를 자르거나 늘려서 그 위에 입으면 패션잡지에서 볼 수 없는 자기만의 개성을 발휘할 수 있다. 다른 사람들을 따라하기 싫다면 추천할 만한 방식이다.

실용과 멋, 두 마리 토끼를 잡는 조끼

편하기는 하지만 품위를 찾아보기는 힘든 게 청바지차림이다. 하지만 여기에 조끼 하나만 걸치면 분위기는 순식간에 달라진다.

조끼만큼 전체 이미지를 확 바꾸어놓을 수 있는 옷도 없을 것이다. 단정한 정장 차림에는 원래의 격조를 한껏 더 높여주고, 캐주얼한 차림에는 무게감을 더해준다. 셔츠를 비롯한 여러 가지 상의 위에 입어 추위를 막기도 하고, 보너스로 멋까지 보태주는 아주 유용한 아이템이라고 할 수 있다. 그래서 그런지 조끼 형태의 옷은 오랜 시간 동안 동 · 서양에서 두루두루 사랑받아왔다. 우리나라에서는 저고리 위에 배자를 입었고 서양에서는 셔츠 위에 베스트를 입었다.

조끼가 이렇게 손쉽게 품위와 격조를 자아내는 것은 재킷과의 형태적 연관성 때문이라고 할 수 있겠다. 조끼의 비중 있는 역할에 비한다면 형태는 무척 단순하다고 할 수 있는데, 조끼는 가장 포멀한 옷이라고 할 수 있는 재킷에서 팔을 제외한 모양이다. 그러다보니 조끼를 입으면 자연스럽게 단단하고 격조 있는 이미지가 만들어진다.

예를 들어 턱시도에나 받쳐 입을 것 같은 검정색 양복감에, 뒤쪽은 새틴으로 된 형태나 가을 냄새 물씬 풍기는 체크무늬를 가진 조끼는 모두 쓰리피스 슈트(재킷 · 조끼 · 바지로 구성된 슈트)에서 파생된 것이다. 그렇기 때문에 이런

캐주얼한 차림에도 격조를 가져다주는 조끼

저고리 위의 배자

조끼를 티셔츠와 청바지 차림처럼 가장 캐주얼하다고 할 수 있는 옷 위에 걸친다 하더라도 품위와 격조가 만들어지는 것이다. 이야기가 스며들어 있다고나 할까. 아버지의 쓰리피스 슈트에 갖추어져 있던 조끼를 슬쩍 빼 입은 느낌. 게다가 쓰리피스를 갖추고 있을 정도의 아버지라면 멋을 모르지는 않을 분일 것이다. 아무튼 조끼를 입는다는 것은 이렇게 포멀한 정장의 유전자로 옷차림에 변이를 일으키는 일이라고 할 수 있다. 그러나 잘못하면 돌연변이가 될 수도 있으니 주의해야 한다. 요즘 난무하는 검정 턱시도 형태의 조끼에 복잡한 디테일이 들어가면 깊이감은 고사하고 아주 저렴해 보일 수 있다.

기본적인 형태의 조끼는 상식적으로 알고 있는 수준에서 크게 벗어나지

재킷에서 팔이 제외된 형태의 조끼

않는다. 그런데 조끼에는 재킷에서 파생된 형태 말고도 다양한 스타일이 있다. 예컨대 니트 조끼 같은 것이 있는데, 이런 조끼 스타일에는 다양한 무늬가 들어갈 수 있다. 아가일 체크 같은 무늬가 들어가면 영국 기숙학교에 다니는 학생 교복처럼 단정하고 깔끔한 인상을 준다.

니트 크로셰 조끼는 손뜨개의 정성을 느끼게 한다. 안에 단색의 티셔츠를 받쳐 입으면 크로셰 조끼의 그 화려하고 복잡한 문양이 마치 레이스처럼 상체를 장식해서 여성스러워 보인다. 70년대 에스닉 룩을 연출하고 싶을 때 제격이다.

길이가 긴 레이어드형 조끼는 늘어진 길이만큼 시선이 뒤로 확장되며 일탈된 묘한 신비감을 표현할 수 있다.

다양한 스타일의 조끼

겉과 안의 조화

하지만 조끼는 언제나 상의와 함께 입기 때문에 겉과 안의 조화에 많은 신경을 써야 한다. 간단한 것 같지만 많은 사람이 이를 간과하고 단지 조끼 하나만 덧입으면 멋쟁이가 될 거라는 착각을 한다.

실제로 평범한 티셔츠와 청바지 위에 조끼 하나만 더 입어주어도 근사해 보일 수 있다. 안에 입은 티셔츠에 아무런 무늬가 없다면 조끼가 포인트가 될 수도 있고, 화려한 그래픽이 들어가 있다면 조끼로 가려줌으로써 좀더 세련된 룩을 표현할 수도 있다. 그런데 후자의 경우 주의해야 할 것은 조끼가 티셔츠의 화려한 모양을 가릴 때, 셔츠의 남은 부분과 조끼가 형태적으로 대비되어야 좋다는 것이다. 겉에 입은 조끼에도 현란한 디테일이 들어가 있다면 과도

심플한 티셔츠와 조끼,
복잡한 티셔츠와 조끼,
복잡한 티셔츠와 복잡한 조끼

한 스타일로 전락하기가 쉽다.

그렇다면 베이직하지도 않고, 좀 복잡한 상태일 때는 어떻게 될까? 기본 공식은 같다. 안에 입은 옷이 단순하다면 조끼는 단순하거나 복잡해도 상관이 없다. 하지만 안에 입은 셔츠나 블라우스가 복잡하다면 겉은 최대한 단순한 편이 좋다. 예를 들어 어깨가 부푼 퍼프소매에 목 부분에 프릴이 달려 여성스러운 디테일이 있는 블라우스가 있다면, 여기에는 단순한 모양의 매니시한 조끼를 걸쳐주는 것이 좋다. 그렇게 되면 과도한 여성스러움과 남성스러움이 합쳐져서 매우 독특한 아름다움을 만들게 된다.

이상에서 살펴본 것처럼 조그마한 조끼 한 벌이지만 이 안에는 다양한 스타일과 다른 유형의 옷이 가지지 못하는 독특한 특징이 있다. 특히 몸을 가려

여성스러운 블라우스에 남성스러운 조끼를 입으면
클래식하면서도 여성적인 묘한 아름다움이 만들어진다

야 할 사회적 의무가 별로 없는 옷이기 때문에, 오롯이 멋을 내는 데만 집중할 수 있다는 점은 다른 어떤 옷도 갖기 어려운 장점이라고 할 수 있다.

이런 장점을 유효적절하게 활용한다면 조그마한 조끼이지만 마치 음식의 양념처럼 적은 노력으로 최대의 효과를 낼 수 있으니 잘 활용하자.

Must Have Item

Vest

조끼는 클래식한 분위기를 만들어주는 아이템이이어서 적절히 활용한다면 마치 향신료처럼 옷차림의 맛을 한껏 높여줄 수 있다. 조끼에는 크게 클래식한 것이 있고 캐주얼한 것이 있는데, 양념처럼 과하지 않게 적절히 사용하는 것이 좋다.

1 재킷에 베스트가 한 벌인 스리피스(three-piece) 정장은 굉장히 고전적이고 격식을 갖춘 인상을 준다. 베스트는 보온의 효과와 함께 멋도 낼 수 있는 중요한 요소로 무궁무진하게 활용할 수 있다.

2 베스트인 것 같지 않은 모양을 가진 베스트는 오리지널 베스트의 격조를 어느 정도 이어받으면서도 캐주얼함을 갖는 두 얼굴의 아이템이라 할 수 있다. 따라서 정장차림에는 숨통을 틔워주고, 캐주얼차림에는 격조를 더해줄 수 있다. 재킷 없이 입을 때는 마치 베스트가 아닌 겉옷처럼 멋지게 차려 입을 수도 있으니 1인 3역의 옷이라 할 만하다.

3 기다란 베스트는 베스트라기보다는 팔 없는 재킷에 더 가깝다. 남의 보조보다는 어엿한 상의의 역할을 다하는 베스트이다.
하지만 일반적인 상의와는 다른 독특한 모양과 구조를 가지고 있기 때문에 특별한 분위기를 연출하고 싶을 때 추천할 만한 아이템이다.

4 격조를 위해 베스트를 입는다면 새틴 소재의 광택 있는 베스트를 입어서 아예 극도로 화려해져보는 것도 좋다.
거의 비슷한 밝기를 가진 재킷을 위에 입으면 과하지 않아 보이면서도 중세의 귀족적 취향을 현대적으로 표현할 수 있다.

STYLE

04 스타일

몸을 완성하다 Ⅱ

대를 위해 소를 희생하는 하의

1 하의를 고르다

하의는 상의에 비해서 얼굴에서 한참이나 멀리 떨어져 있고, 상의에 비해 차지하는 크기의 비중도 작다. 두 다리만 커버하면 되기 때문에 모양도 상의에 비해서 단순하게 생겼다. 이런 모든 것을 종합해보면 하의는 상의에 비해 상대적으로 비중이 떨어지고, 상의에서 형성된 이미지를 마무리하는 역할을 맡고 있다고 정리할 수 있다. 하지만 하의의 도움이 없으면 상의에서 어렵게 만들어진 이미지는 한순간에 도로아미타불이 되어버린다.

하의를 입을 때 중요하게 생각해야 할 것은, 다리의 움직임을 잘 끌어안으면서도 상의의 상황을 잘 살펴 유효적절하게 대처하는 것이다.

무엇보다 중요한 허리선

요즘 옷은 전부 상의와 하의로 나뉘는데, 그 가장 중요한 기준점이 바로 하의가 시작되는 허리선이다. 모든 하의가 여기에서 시작하기 때문에 하의의 뿌리라 할 수도 있다. 상의와 하의가 나누어지는 경계이기 때문에 허리선은 상의에서도 매우 중요한 부분이다.

사람의 몸에서 허리띠가 걸리는 골반부분이 보통 여기에 해당되는데, 단지 상의와 하의가 나누어지는 경계라서 중요한 것은 아니다. 앞에서 살펴본 것처럼 패션에서 허리선이 중요한 것은 이 위치가 어떻게 잡히는가에 따라 다리의 길이가 정해지고, 나아가 몸 전체의 비례가 결정되기 때문이다. 말하자면 '롱다리냐, 숏다리냐'의 갈림길이 바로 여기인 것이다.

물론 이 위치가 저마다 타고난 해부학적 특징 때문에 꼼짝달싹하지 못한다면 허리선은 그저 운명선이 되어버렸을 것이고, 그렇게 중요한 지점이 되지는 않았을 것이다. 하지만 하의의 중요한 역할 가운데 하나가 허리선의 위치를 자주 교란시켜 다리가 짧아 보이지 않게 트릭을 구사한다는 것이다.

패션에서는 착시효과를 통해 이 허리선의 위치를 살짝 바꾸어서 롱다리로

하이웨이스트 · 로우웨이스트 바지와 다리 길이의 변화

도 보이게 할 수 있기 때문에 허리선은 아주 중요하다. 그런 것을 가장 잘 볼 수 있는 것이 하이웨이스트, 로우웨이스트라는 말이다. 바지든 치마든 실제 골반보다 하의의 허리선을 높여주면 하이웨이스트, 낮춰주면 로우웨이스트라 한다.

하이웨이스트는 두말할 것 없이 허리선을 높여서 다리를 길어 보이게 하려는 시도이다.

하이웨이스트 하의를 입으면 다리 길이가 확실히 길어 보인다. 하지만 무조건 허리라인만 올려준다고 다리가 길어 보이는 것은 아니다. 서양인에 비해 허리의 가장 가는 부분부터 다리 가랑이 사이까지의 길이 즉, 밑위길이가 긴 동양인이 하이웨이스트 팬츠를 입는다고 다리가 더 길어 보이지는 않는다. 잘못하면 비례가 완전히 엉켜서 다리가 긴 것인지, 허리가 긴 것인지 헷갈리기 십상이다. 이럴 때는 순진하게 허리선만 올릴 게 아니라 몇 가지 트릭을 세트로 구사해주어야 한다. 가장 쉽게 생각할 수 있는 것이 치마다. 치마는 가랑이를 가려주기 때문에 다리 길이에 충분히 착시효과를 줄 수 있다. 단, 하이웨이스트지만 타이트스커트라면 긴 허리의 실루엣이 고스란히 드러난다. 따라서 하이웨이스트에 엉덩이가 풍성하게 퍼지는 A라인 개더스커트를 입으면 단점을 가리고 다리를 길어 보이게 할 수 있다.

가랑이 위치가 드러나는 하이웨이스트 팬츠에도 방법이 없는 것은 아니다. 다리 아래로 내려올수록 통이 커지는 부츠컷팬츠로 발의 위치를 가리고 하이힐을 신으면 다리의 길이를 최대로 길어 보이게 할 수 있다. 실루엣이 옛 추억을 불러일으킨다는 점이 있긴 하지만 다리를 길어 보이게 하는 데는 가장 효과적인 방법이라고 할 수 있다.

그런데 허리는 하이웨이스트로 하면서 길이는 핫팬츠를 방불케 하는 짧은 길이로 다리를 최대로 노출하면서 길어 보이게 하는 방법도 추가할 수 있다. 얼마 전에 서인영이라는 가수가 유행시킨 배바지이다. 여기서 유의해야 할 것은 상의 역시 짧게 입어야 한다는 것이다. 그렇게 하면 설사 다리 길이가 노출된다고 하더라도 짧아 보이지 않는다. 허리선은 그렇다고 치더라도 길지 않은 다리가 감추어지기는커녕 그대로 드러나는데도 어떻게 다리가 길어 보일 수 있을까? 여기에는 비례의 마술이 숨어 있다.

허리가 긴 사람의 하이웨이스트 개더스커트와
하이웨이스트 타이트스커트 비교

짧은 배바지를 입고 있으면 머리에서 짧은 배바지까지가 비슷한 길이로 3등분된다. 이렇게 상체가 세 개의 길이로 분절됨에 따라 상체와 비교해서 다리 길이가 짧은지 긴지 계측하기가 어려워진다. 설사 상체가 길다 하더라도 다리보다 길어 보이지는 않는다. 게다가 허리 위로 높이 올라간 바지는 허리의 S라인을 더 강조하면서 시선이 다리로 내려가는 것을 막아 실제 다리 길이는 더욱 파악하기 어려워지는 것이다. 이렇게 해서 배바지는 다리의 길이를 실제보다 길어 보이게 만든다.

이처럼 허리선을 중심에 놓고 허리선에 의해 결정된 다리 길이는 전체 옷차림에 큰 영향을 미친다. 그렇기 때문에 하의에서 가장 먼저 챙겨야 할 것은 허리선에 의해 결정되는 다리의 길이이다.

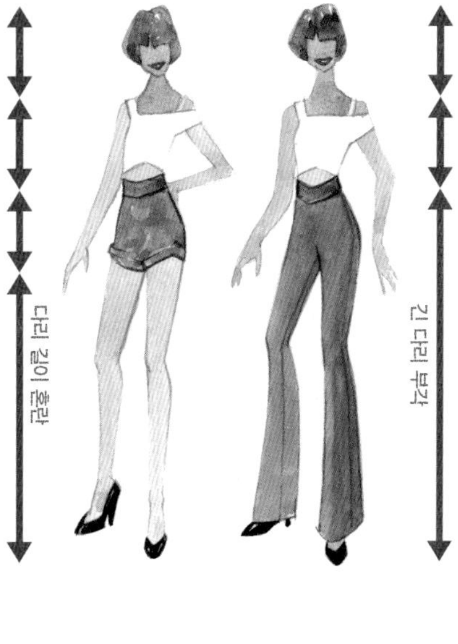

통이 넓은 배바지와 핫팬츠형 배바지의 비례효과

길이, 옷의 인상을 만들다

하의는 상의에 비해서 종류나 모양이 복잡하지 않다. 실루엣으로 보면 하의는 바지와 같이 다리부분이 둘로 나뉘는 것과, 치마와 같이 다리 전체를 담는 두 가지 유형으로 나눌 수 있다.

그런데 하의의 이런 실루엣이 어떤 인상을 가지는가 하는 것은 사실 모양이 아니라 길이에 의해 더 많이 좌우된다. 바지든 치마든 모양보다는 어디서 끝나는가에 따라 전체적인 인상이 많이 달라진다.

당연히 하의가 발목을 덮을 정도로 길면 정숙하고 단정해 보이고, 허벅지도 다 덮지 못할 정도로 짧으면 섹시해 보인다. 우리나라의 경우 1970년대에

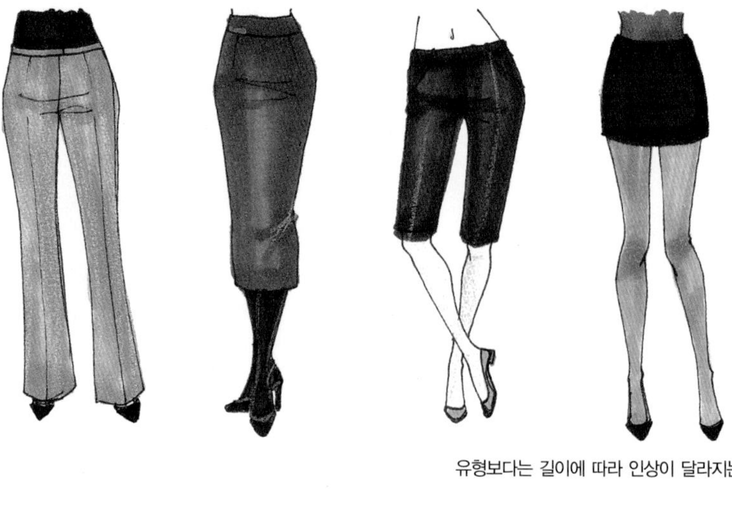

유형보다는 길이에 따라 인상이 달라지는 하의

국가가 나서서 여성의 치마 길이를 관리했을 정도니, 하의에서 길이가 차지하는 비중이 얼마나 큰지 역사적 경험으로도 알 수 있다.

미묘한 치마 길이

바지는 다리에 달라붙기 때문에 길거나 짧거나 옷의 실루엣에 그다지 큰 영향을 미치지는 않는다. 하지만 치마는 길이에 따라 모양이 많이 달라지기 때문에 길이가 대단히 중요하다. 이때 기준이 되는 것은 바로 무릎이다. 무릎의 높이를 중심으로 치마의 인상은 완전히 달라진다. 예컨대 치마가 무릎 위에서 끝나는 경우 육감적이고 슬림해 보인다. 반면 무릎 아래에서 끝나는 경우에는 단정하고 엄숙해 보인다.

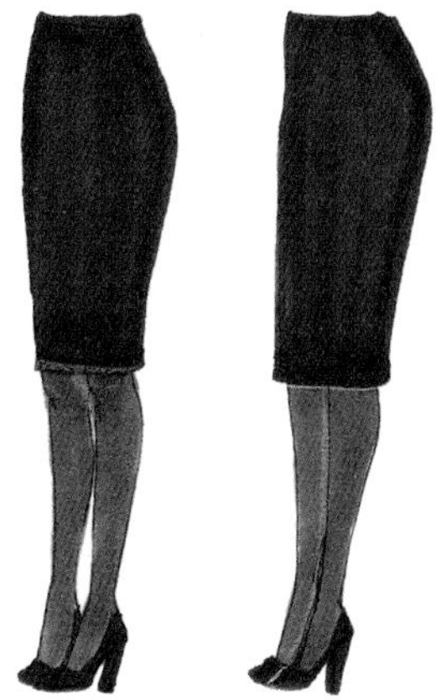

무릎의 위치를 기준으로 달라지는 치마의 이미지

입는 옷에 따라 2등분되거나 3등분되는 신체의 비례

그런데 여기서 끝이 아니다. 무릎은 아주 묘한 지점이다. 무릎의 위치는 단지 치마의 인상을 좌우할 뿐 아니라, 몸 전체의 비례가 어떻게 나누어지는지 판가름 나는 포인트가 된다. 쉽게 말해 다리 길이가 더 길어 보일 수 있는지, 원래보다 짧아 보이는지가 이 10cm 내외의 부분으로 결정되는 것이다.

옷을 입으면 몸 전체는 머리부터 골반, 골반부터 발끝까지 둘로 나누어지거나, 머리에서 허리, 허리부터 무릎, 무릎부터 발끝까지 세 부분으로 나누어진다. 일반적으로 둘로 나누어지는 것은 바지를 입었을 때이고, 3등분으로 나누어지는 것은 치마나 짧은 바지를 입었을 때이다.

몸 전체가 3등분될 때 하체의 비율을 결정짓는 것은 치마 길이이다. 이때

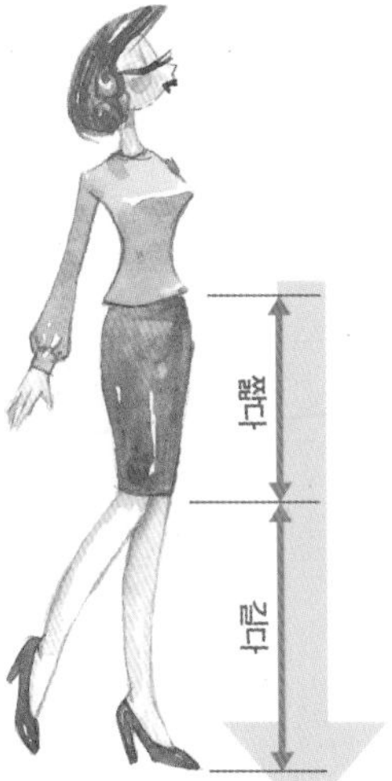

치마 아래 길이가 길면 다리가 길어 보인다

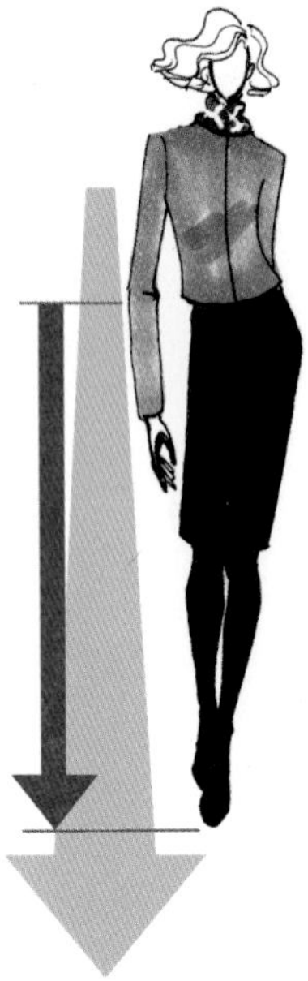
색으로 조정된 무릎 길이

몸 전체가 1:1:1로 나누어지지 않고 치마 아래의 길이가 조금이라도 길게 나누어지면 다리 길이는 훨씬 길어 보인다. 무릎 주변의 처리가 중요한 것은 이 때문이다.

여기서 한 가지 재미있는 요령을 살펴볼 수 있다. 치마 · 스타킹 · 구두의 색을 통일시켜주면 치마를 입더라도 몸 전체가 3등분되지 않고 2등분되면서 다리가 훨씬 길어 보인다. 치마는 색에 의해 종아리와 구두와 하나가 되면서 압도적으로 길어 보이기 때문이다.

또 하나, 치마의 길이와 관련된 사실 하나를 짚고 넘어갈 필요가 있다. 치마 길이가 종아리 근육의 가장 튀어나온 부분을 가로지르면 다리는 가장 두꺼

종아리 근육을 덮는가
덮지 않는가에 따른 다리 굵기의 차이

워 보인다. 이 부분은 꼭 피해주어야 한다. 치마의 끝부분을 종아리 근육 위에 오든지, 아래에 오게 해서 가능한 한 다리를 가늘어 보이게 해야 한다. 옷을 잘 입으려면 이처럼 미세한 부분까지 잘 따져주어야 한다.

통, 실루엣을 만들다

하의에서 또 하나 중요한 것은 바로 통이다. 치마가 되었든 바지가 되었든 넓이는 하의의 실루엣에 결정적인 영향을 미친다. 크게 보면 하의의 통이 타이트한가, 여유 있는가로 나눌 수 있다.

하의의 통이 넓거나 좁은 경우의 실루엣

치마든 바지든 통이 좁아 다리에 꽉 달라붙는 경우는 대단히 섹시해 보인다. 반면에 통이 넓으면 편해 보인다. 그런데 하의의 통은 항상 상의의 상태와 쌍으로 살펴야 한다. 일반적으로는 하의와 상의는 반대로 매치하는 것이 답답해 보이지 않고 세련되어 보일 수 있다. 예컨대 통이 큰 하의를 입었다면 상의는 몸에 좀 달라붙는 것을 입는 것이 좋고, 통이 좁은 하의를 입었다면 상의는 넉넉한 것을 입어서 대비효과를 발하는 것이 좋다.

하의에서 통은 이런 정도만 잘 챙겨도 좋은 결과를 얻을 수 있다.

상의와 하의를 반대로 입어서 세련되어 보이는 경우

2 하의를 입다

남들이 다 스키니진을 입고 다니는데 혼자 나팔바지를 입고 다닌다면 얼마나 촌스럽고 눈에 띌까? 그러니 바지의 이 독재적이고 획일적인 전횡에 정면 대응할 수 있는 사람은 그리 많지 않다. 많은 사람이 바지만큼은 얌전히 그 흐름을 따른다. 그런데 이런 특징 때문에 아이러니하게도 바지는 시대를 대표하는 아이콘이 되기도 한다. 80년대의 디스코바지, 90년대의 부츠컷 실루엣, 2000년대의 스키니진과 레깅스는 그 명칭만으로도 시대가 그려지고, 시대의 마디가 되고 있다.

한편으로 바지의 유행이 바뀐다면, 그것은 시대의 흐름이 바뀌는 징조가 되기도 한다.

시대를 대표하는 바지의 실루엣들

바지는 유행을 많이 타는 편이다. 철 지난 것도 모르고 입고 나가다가는 적나라하게 촌스러워지는 게 바지다. 유행에 따라 변하는 것은 바지 그 자체가 아니라 사실 바지의 실루엣이다. 그런데 바지의 실루엣이 자주 바뀌어서 다른 실루엣이 금방 촌스러워진다는 것은, 반대로 생각하자면 바지를 선택할 수 있는 범위가 좁기도 하고 다른 아이템에 비해 보수적인 경향이 있다는 증거이다.

왜 바지인가

생물학적으로 본다면 하체, 즉 허리 · 골반 · 엉덩이 · 다리의 역할은 자손 번

바지의 선택

식이 1차적 목적이다. 따라서 하의에는 이성을 유혹하려는 성향이 적지 않다. 말하자면 바지는 섹시함과 밀접한 관계가 있는 것이다. 여기서 선택과 집중의 문제가 대두된다.

바지를 입을 때 섹시함을 위해서라면 먼저 허리를 강조할 것인가, 엉덩이를 강조할 것인가, 다리를 강조할 것인가를 선택해야 한다. 그리고 그 다음은 강조할 부분을 가려면서 강조할 것인가, 드러내면서 강조할 것인가를 결정해야 한다. 예를 들면 엉덩이를 가리면서 강조할 경우에는 배기팬츠가 적합할 것이고, 다리를 드러내면서 강조할 경우에는 스키니진이나 쇼트팬츠가 적합할 것이다. 반면에 엉덩이를 드러내며 강조하고자 할 때는 스키니진이 적합할 것이며, 다리를 가리면서 드러내려면 부츠컷팬츠가 적합할 것이다.

기본 재킷에 다양한 바지를 매치했을 때 달라지는 이미지

물론 바지의 형태는 상의와의 관계를 빼놓고 볼 수 없다. 옷차림의 전체적인 이미지를 결정하는 데 주도적인 역할을 하기도 한다. 예를 들어 가장 기본형의 테일러드재킷이 있다. 여기에 스트레이트 실루엣의 정장바지를 입느냐, 찢어진 청바지를 입느냐, 배기팬츠를 입느냐, 와이드팬츠를 입느냐, 버뮤다팬츠(통이 좁은 무릎길이의 바지)를 입느냐에 따라 다양한 이미지를 연출할 수 있다.

바지를 고르는 세 가지 기준

허리에서 발끝까지 이어지는 하체의 형태는 상당히 복잡하다. 하지만 바지는 두 개의 다리통을 하나로 이은 천이 허리에 걸쳐있는 단순한 형상을 하고 있다. 따라서 바지의 형태는 다리통의 폭, 다리통의 형태, 허리선의 위치, 바지길이 등에 의해서 결정된다.

다리통의 형태는 완전히 달라붙는 레깅스, 꼭 달라붙는 일자형부터 중간폭, 넓은 폭의 일자형, 밑으로 내려갈수록 넓어지는 형(부츠컷팬츠), 밑으로 갈수록 좁아지는 형(배기팬츠 · 사브리나팬츠), 허리와 발목은 조이고 중간은 여유가 있는 형(할렘팬츠) 등이 있다.

레깅스는 다리의 윤곽을 그대로 드러내기 때문에 가장 섹시해 보이고(다리가 예쁘고 길었을 경우에), 옷을 입은 것 같지 않은 실루엣이다. 이런 바지는 바지의 형태보다는 다리의 형태를 어떻게 예쁘게 담아내는가 하는 것이 중요하다. 일단 다리가 예뻐야 바지의 아름다움이 실현되기 때문에 바지 자체의 역할은 그리 크지 않다고 할 수 있다.

일자형은 말 그대로 바지의 선이 허리통에서부터 수직으로 그대로 내려온다. 다리의 모양보다는 바지의 모양이 주가 되는 스타일이다. 다리가 어떻게 생겼더라도 일정한 모양으로 보이기 때문에 단정해 보이고 활동성도 좋은 바지라 할 수 있다. 다리의 모양이 드러나지 않으면서도 날씬하게 보일 수 있는 스타일이다.

일명 나팔바지라고도 불리는 부츠컷팬츠는 종아리 아랫부분을 넓어 보이게 함으로써 다리의 끝이 어디인지 모르게 하여 다리를 길어 보이게 한다. 그리고 허벅지보다 종아리 부분이 넓어 보이기 때문에 상대적으로 허벅지를 가늘어 보이게 하는 스타일이다. 하체의 단점을 비교적 많이 커버해준다고 할 수 있다. 날씬하기는 한데, 다리 길이가 좀 짧다면 권장할 만한 바지이다.

엉덩이부분이 넓고, 발목부분으로 갈수록 좁아지는 배기팬츠는 다리를 길어 보이게 하는 바지이다. 엉덩이부분을 과장하여 실제 엉덩이가 어느 정도인지 모르게 하여 볼륨감 있으면서도 날씬해 보이게 만든다. 엉덩이가 작은 사람에게는 볼륨을 더해주고, 엉덩이가 조금 큰 사람에게는 엉덩이의 실제 부피를 가려준다. 핵심은 좁아지는 발목부분이다. 발목의 통과 엉덩이부분의 통의 차이가 발로 내려가는 바지의 각도를 경사지게 하여, 다리가 아래쪽으로 빠르게 내려가는 것처럼 보이게 한다. 그러한 조형적 속도감이 다리를 실제보다 더욱 길어 보이게 하는 것이다.

할렘팬츠는 다리의 부피를 과장하여 아예 다리의 모양을 알아보지 못하게 함으로써 다리가 뚱뚱해 보이지 않게 만드는 바지다. 허리와 발목이 조여지기 때문에 다리를 움직이기가 편하다는 큰 장점을 가지고 있다.

이처럼 같은 바지라도 모양에 따라서 전혀 다른 역할을 하며, 다리를 비롯한 하체의 모양새를 전혀 다르게 보이게 한다. 바지를 입을 때는 이러한 바지의 특징들을 잘 이해하고 자신이 원하는 바에 따라 잘 맞추어 입어야 한다. 각기 체형에 따라 입어야 할 바지의 유형과 입지 말아야 할 바지의 유형이 달라질 것이다.

여러 가지 형태의 바지

Must Have Item

Pants

바지는 무엇보다 활동성이다. 바지는 남의 눈치 안 보고 두 다리를 마음껏 움직일 수 있게 해주는 고마운 옷이다. 거기다가 다리의 모양을 여러 가지로 바꾸어주기까지 하기 때문에 활동성과 패션 감각이 중요해지는 요즘 더욱 각광받고 있다. 바지는 이 두 가지 특징을 잘 고려하여 갖추는 것이 좋다.

1 활동성이라면 청바지를 따라갈 수 있는 옷이 없을 것이다. 청바지의 질긴 소재는 어떤 곳이라도 부담 없이 입고 다닐 수 있게 한다. 그런데 요즘은 청바지 소재의 이런 특징이 몸매를 보완해주고 하체를 예뻐 보이게 하는 데 크게 일조하고 있다.

청바지는 몸매의 단점을 보완해주는 수준을 넘어서서 자기가 선호하는 몸매를 표현해주는 정도까지 발전했다. 자신의 개성을 강조하는 시대이니 너무 유행하는 스타일보다는 평소 자신이 선호하는 스타일과 색상을 고려하고, 색과 실루엣, 워싱 상태 등을 따져서 구입하는 것이 좋다. 잘만 하면 오래 입을 수 있는 정도를 넘어서서 함께 늙어가는 기분까지 만끽할 수 있을 것이다.

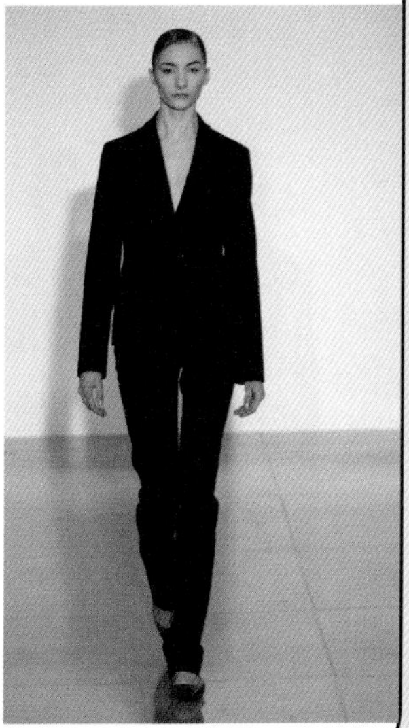

2 동양 사람은 대부분 하체에 자신을 갖기 어렵기 때문에 하체의 단점을 가릴 수 있고 어느 정도 멋을 부릴 수 있는 바지가 절실하다. 이럴 때는 검정 정장 바지가 매우 요긴한 역할을 한다. 소위 일자바지라 불리는 실루엣이 가장 무난하다. 직장인이라면 제값 이상의 역할을 할 것이며, 학생이면 급한 행사가 있을 때 요긴하게 입을 수 있다.

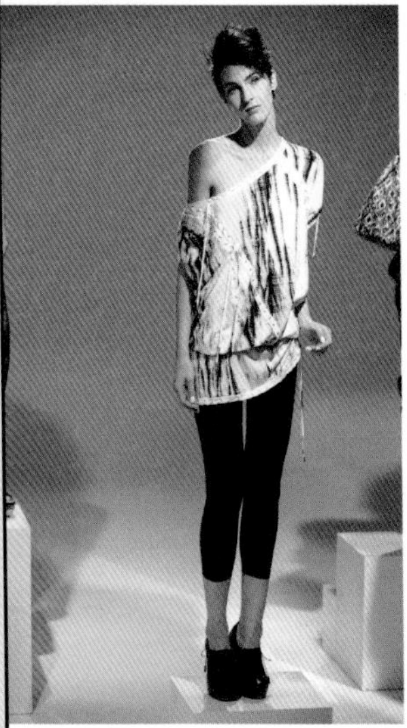

3 레깅스나 레깅스는 아니더라도 다리에 짝 달라붙는 바지는 다리를 실제보다 길어 보이게 하기 때문에 필수로 챙겨야 할 아이템이다. 단 위에 입는 옷과의 궁합이나 바지단의 처리에 따라 길어 보일 수도 있고, 짧아 보일 수도 있으니 주의를 요한다.

4 아래로 내려갈수록 통이 넓어지는 바지 또한 다리를 실제보다 길어 보이게 할 수 있는 아이템이니 갖추어놓을 필요가 있다.
바지 윗단의 처리에 따라 다리를 비롯한 하체의 비례가 결정된다. 허리는 가능한 한 가늘어 보이게 하고, 허리선도 되도록 높이는 것이 좋다. 바지 아랫단은 신발의 높이가 감지되지 않을 정도로 가려주어야 한다는 것도 잊어서는 안 된다.

바지가 하의의 왕이라면 치마는 하의의 여왕이다. 하지만 치마의 족보가 바지의 족보보다 훨씬 옛날로 올라간다. 그만큼 하체를 넓게 담아내면서 모든 사람에게 편안한 옷이다. 원래는 남자도 치마를 입었지만 현대에 들어와서는 여성 전용이 되었고, 아름다운 몸매와 여성스러움을 표현하는 최고의 아이템으로 자리잡았다. 보기에는 단순한 튜브 모양으로 생겼지만 제대로 갖추어 입는 데에는 적지 않은 어려움이 따르지만, 그만큼 표현의 가능성도 다양한 것이 치마다.

상의와 떨어질 수 없는 치마의 숙명

상의가 어깨에 걸쳐지는 것이라면 치마는 허리에 묶이고 골반에 걸쳐지는 구조물이다. 이 사실은 대단히 큰 의미를 갖는다. 왜냐하면 치마란 허리를 중심으로 하체를 감싸는데, 골반에서 떨어질 수 없다는 구조적 제약 때문에 치마의 형태는 지극히 제한적일 수밖에 없기 때문이다.

치마의 가장 간단한 형태는 원통형, 즉 타이트스커트이다. 사각형의 천을 거의 그대로 동그랗게 말아서 이어 붙이면 원통형에 가까운 치마가 만들어진다. 가장 단순하고 쉽게 만들 수 있는 치마지만 다리의 움직임을 굉장히 제약한다. 일본의 기모노처럼 여성의 신체를 많이 억압하는 옷이라 할 수 있다. 그래서 이런 옷을 입으면 자연스럽게 움직임이 적어지고, 허리로부터 단조롭게 내려오는 치마 모양 때문에 단정하고 차분해 보인다. 그래서 이런 치마는 직장 여성용 정장이나 품위가 필요한 유니폼 등에 많이 활용되고 있다.

이 타이트스커트는 하체를 단정한 H라인 실루엣으로 만들어주므로 상의가 아무리 화려하고 복잡해도 깔끔하게 정리하고 중심을 잡아준다. 상의의 모양이 화려하고 복잡할수록 전체적으로 강렬한 조형적 대비가 이루어지기 때문에 오히려 상의와 치마가 같이 두드러져 보이는 보너스를 얻을 수 있다. 이럴 때 하체를 감싸는 이 원통형의 심플한 치마는 마치 꽃을 피워올린 화분처럼 보인다. 이런 치마로 하체를 차분하게 해주고 상의에서 화려함을 즐기는 것도 좋을 것이다.

활동에 제약을 주지만 전체적으로는
단정한 분위기를 가져다주는 타이트스커트

그런데 치마의 가장 일반적인 형태는 밑으로 갈수록 넓어지는 A라인 스커트이다. 여성스러워 보이기도 하지만 아랫부분이 넓어서 다리 움직임이 비교적 자유롭다. 허리에 고정되는 부분 말고는 신체를 제약하는 부분이 없어 여자들이 가장 많이 입는 스타일이기도 하다.

허리에는 여유가 없고 밑으로 갈수록 퍼지는 플레어스커트, 허리부터 주름을 잡은 풍성한 개더스커트, 좀더 기계적인 느낌의 주름치마, 허리부분을 납작하게 눌러주면서 장식의 효과를 주는 요크가 붙어있는 요크스커트 등이 여기에 속한다. 모양은 조금씩 다르지만 허리는 조이면서도 엉덩이 밑으로는 치마가 풍성하게 퍼지기 때문에 몸에 꼭 달라붙는 상의를 입으면 자연스럽게 섹시한 X라인 실루엣을 만들 수 있다는 공통점이 있다.

플레어 · 개더 · 플리츠 · 요크 스커트

스커트 밑이 좁은 형태는 앞서 살펴본 것처럼 다리의 움직임을 많이 제약하기 때문에 그리 흔하지는 않다. 하지만 엉덩이 쪽에 여유를 많이 주어 주름을 잡고 밑단은 타이트스커트처럼 여유를 적게 주는 스커트가 있다. 입고 다니기는 불편하지만, 스커트 아랫부분이 좁고 그 위 엉덩이 부분이 넓어 보이기 때문에 자연스럽게 요즘 유행하는 S라인이 살아 움직인다. 따라서 여성스러움을 돋보이게 하고 싶을 때 섹시해 보이고 싶을 때 이런 스커트를 활용하면, 허리는 가늘어 보이고, 엉덩이는 글레머로, 다리는 아래로 길게 쏙 빠져 보일 수 있다.

한편 튤립스커트 · 페그톱스커트로 불리는 스커트를 좀더 S라인을 강조해서 입고자 한다면 상의를 몸에 달라붙게 입어주면 허리가 가늘어 보이고 엉덩

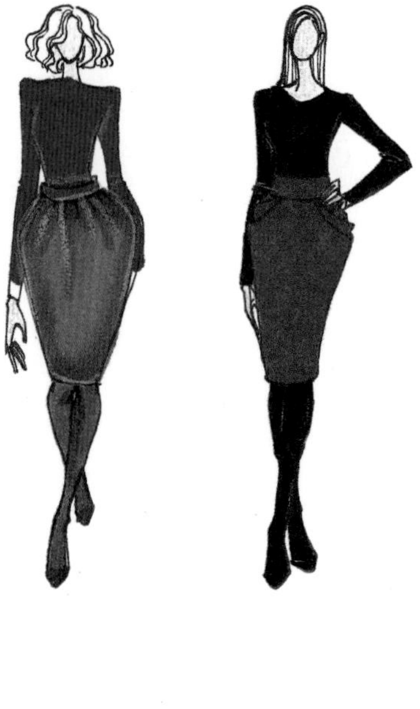

페그톱 스커트의 여러 형태

이부분이 강조되어서 더욱 섹시해 보일 수 있다.

이 외에도 아방가르드한 형태로 유행했던 벌룬스커트, 밑단을 둥근형태가 아닌 사각형으로 재단하는 행커치프스커트, 인어공주를 연상시키는 머메이드라인스커트 등을 잘 선택한다면 자신의 개성을 한껏 드러낼 수 있다. 단, 이런 치마들은 형태가 독특하기 때문에 사람들의 시선을 하체 쪽으로 이끈다. 이럴 때는 치마가 주인공이 될 수 있도록 상의를 단순하고 깔끔하게 매치해주면 과하지 않으면서도 '옷 잘 입는다' 는 소리를 들을 수 있다.

이처럼 치마는 상의에 비해서 단순해 보이지만 알고 보면 그 속에도 많은 형태가 있기 때문에 다양한 느낌을 만들 수 있다. 특히 상의와의 관계를 생각해 신중하게 결정해야 한다.

아방가르드한 치마들

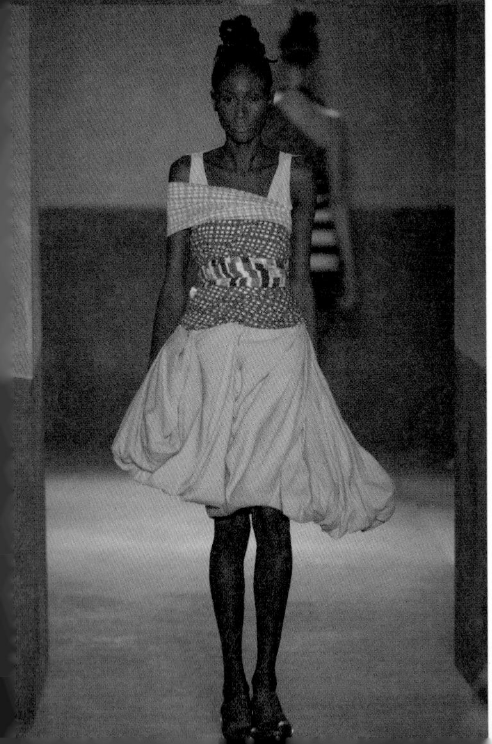

Must Have Item

Skirt

치마는 여성의 아름다움을 가장 잘 표현할 수 있는 옷이다. 어떤 모양인가에 따라 섹시하게도 청초하게도 보일 수 있다. 치마를 고를 때는 자신의 다리를 치마가 어떻게 감싸며 모양을 만드는지 살피는 것이 관건이다. 아울러 치마의 길이도 중요한 변수가 되니 주의를 기울여야 한다. 특히 짧지도 않고, 길지도 않은 길이는 피하는 것이 현명하다.

1 치마에도 H라인이 있다. 일자로 단정하게 내려오는 치마는 가장 무난하다. 차분하고 반듯해서 특히 정장에 잘 어울리는 옷이다. 물론 캐주얼한 상의에도 잘 어울린다. 그래서 기본으로 갖추어야 할 아이템 중에 하나다.

하지만 애매한 무릎길이의 H라인 치마는 면접 때 말고는 거의 입을 일이 없으니 피하는 것이 좋다. 하체가 약간 비만이라면 밝은 색보다는 어두운 색이 좀더 유리하다.

2 허리에서부터 다리까지의 하체를 항아리처럼 감싸고 내려오는 치마는 이중적이다. 차분하고 지적이면서도 섹시해 보이기 때문이다.

넉넉한 품의 하얀색 블라우스와 함께 입으면 냉철해 보이면서도 매혹적으로 보일 수 있다. 이처럼 표현의 폭이 넓은 아이템은 하나쯤 가지고 있을 필요가 있다. 얌전히 직장에서 근무하다가도 재킷만 벗으면 곧바로 클럽에 갈 수도 있기 때문이다.

3 아래로 살짝 퍼지는 A라인의 치마는 여러모로 긴요한 아이템이다.

활동하기도 편하고 단정하면서도 캐주얼한 분위기에 모두 어울린다는 특징이 있다.

4 아예 길고 품이 넓은 치마는 동양화의 여백처럼 다리의 아름다움을 은근하게 드러낸다. 패션의 고수라면 오히려 이런 치마로 복합적이고도 미묘한 아름다움을 표현할 것이다.

몸매의 단점을 커버하고 감각적으로 보이려면, 어설프게 타이트하고 어설프게 긴 것보다는 이런 치마가 더 효과적이다. 극과 극은 패션에서도 통한다. 허리를 잘록하게 보이고 가능한 한 다리의 길이가 파악되지 않도록만 한다면 상당히 감각적으로 입을 수 있는 아이템이라 할 수 있다.

S T Y L E

05 스타일

몸을 완성하다 Ⅲ

실루엣의 완성, 원피스와 코트

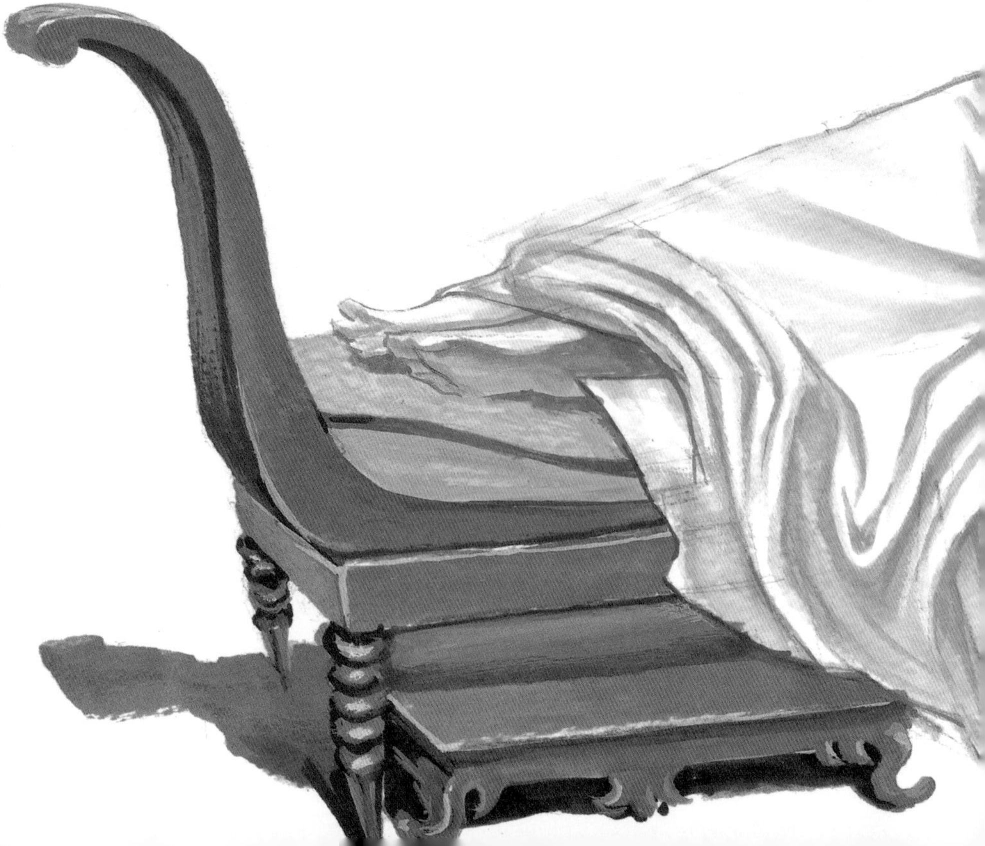

모든 옷이 다 위 · 아래로 나누어지는 것은 아니다. 옷 중에는 몸의 위 · 아래 전체를 흐르며 옷맵시를 돋보이게 해주는 아이템도 있다. 원피스와 코트가 대표적이다. 이들은 상체와 하체를 나누는 허리선의 방해가 없기 때문에 몸매의 아름다운 흐름을 끊어지지 않고 전부 드러낸다. 이것은 상의나 하의에서는 살펴볼 수 없는 생소한 특징이며, 그만큼 다른 옷에서 할 수 없는 독특한 표현을 할 수 있다.

1 여성의 특권 원피스

현대의상이 몸매의 아름다움을 드러내는 쪽으로 발전해왔다면 그 정점에 서 있어야 할 옷은 상의도 아니고 하의도 아닌 원피스라고 할 수 있다. 얼굴에서 어깨 · 가슴 · 허리 · 골반 · 다리 · 발로 이어지는 매끄러운 선의 아름다움을 원피스에서는 아무런 방해물 없이 볼 수 있다. 그렇기 때문에 레드카펫 위를 걸어갔던 수많은 여배우가 설사 워스트드레서로 뽑히는 한이 있더라도, 하나 같이 원피스만을 고집하는 것이리라.

원피스의 핵심, 실루엣

그냥 보면 원피스는 그저 몸매 위를 타고 흐르는 한 조각 천으로만 생각하기 쉽다. 하지만 원피스야말로 얇은 천 하나로 몸매를 비롯한 옷차림의 모든 것을 감당하기 때문에 쉽게 입을 수 있는 옷이 아니다.

원피스는 일단 사람의 몸 전체를 감싸기 때문에 다른 어떤 옷보다도 정직할 수밖에 없다. 한 장의 천만을 사이에 두고 몸의 윤곽을 그대로 드러내기 때문에 시각적 트릭을 쓰기가 무척 어렵다. 그러면서도 아름다워 보여야 한다. 원피스가 가진 딜레마다. 물론 몸매가 뛰어난 사람이라면 옷의 도움이 그다지

얇은 천으로 몸매의 아름다움을 그대로 드러내는 원피스

필요하지 않다. 되도록 얇은 천 하나로 노출증이 아니라는 것만 입증할 정도면 충분하다. 하지만 대부분의 사람은 그렇지 못하다. 텔레비전의 멋진 여배우들의 모습만 생각하고 따라하다가는 오히려 짧은 다리와 굵은 허리를 더 적나라하게 드러내기 십상이다. 얇은 천의 옷은 몸매의 단점을 커버하기보다는 몸의 단점을 강조하게 된다. 하지만 몸이 안 된다고 해서 아름다운 곡선이 머리부터 발끝까지 흐르는 원피스의 매력을 쉽게 포기할 수도 없는 일이다.

자신의 아름다운 몸매를 숨김없이 드러내면서도, 아름답지 못한 부분들을 유효적절하게 가리면서 입는다면 못 입을 것도 없다. 당연, 다른 옷에 기울이는 것보다는 몇 갑절 많은 주의를 기울여야 한다. 특히 주의를 기울여야 할 부분은 바로 실루엣이다.

원피스는 입은 사람의 몸과 모양이 거의 일치되기 때문에 실루엣이 중요하다. 크게 보면 허리가 많이 강조되지 않는 H라인, 허리를 조이고 어깨와 치마의 폭을 강조하는 X라인, 아래로 내려갈수록 점점 옆으로 퍼져가면서 안정감을 연출하는 A라인, 몸의 곡선을 일부러 따르지 않는 O라인.

원피스는 앞 장에서 살펴본 이런 실루엣 라인을 거의 교과서적으로 따른다. 원피스는 실루엣에 따라 몸매에 다양한 표정을 만들어주고, 몸매의 아름다움을 더욱 강화하게 된다.

원피스의 다양한 실루엣

실루엣이 만들어내는 원피스의 표정

원피스의 매력은 아무래도 몸의 굴곡을 따라 흐르는 아름다운 곡선이 적나라하게 드러날 때라고 할 수 있다. 여러 가지 실루엣 중에서도 거기에 가장 알맞은 것은 잘록한 허리를 강조하는 X라인 실루엣의 원피스이다. 이 스타일의 실루엣은 허리의 오목한 곡선 바로 밑으로 치마의 폭을 넓게 퍼지게 하여 허리를 더 잘록하게 보이도록 하여 여성의 곡선적인 몸매를 더욱 곡선으로 만들어준다. 가슴부분과 엉덩이부분이 중간에 있는 허리부분과 많은 대비를 이룰수록 육감적으로 보인다.

그런데 이렇게 섹시한 X라인의 원피스 치마를 H라인으로 내리면 이미지

치마의 폭에 따라 X라인이 몸매의
굴곡을 더욱 돋보이게 하는 원피스

가 확 달라진다. 치마부분에 절도가 생겨서 원피스의 여성스러운 분위기 위에 단단하면서도 지적인 이미지가 스며든다. 이런 구조의 원피스는 도시적이고 세련된 직장 여성의 이미지를 나타내는 데 적합하다.

한편 상체는 말랐는데 하체가 통통한 사람이라면, 원피스의 윗부분은 상체에 조금 달라붙게 하고 원피스의 아랫부분은 풍성하게 해주는 것이 좋다. 그렇게 하면 숨기고 싶은 엉덩이와 허벅지가 치마의 풍성함에 의해 가려질 수 있다.

하지만 X라인을 가진 원피스가 모든 체형을 책임질 수는 없다. 마른 체형인데도 허리에 굴곡이 없는, 소위 통짜 체형이라면 이런 유형의 원피스는 불리하다. 이런 체형이라면 차라리 허리선이 밑으로 내려간 H라인의 로우웨이

H라인의 치마를 가진 X라인 원피스

윗부분은 달라붙고 아랫부분은 풍성한 X라인 원피스

스트라인 원피스를 입는 것이 좋다. 20년대 풍의 가르손느(Garconne) 스타일의 원피스는 여성적인 굴곡보다는 소년처럼 중성적인 인상을 풍기므로 색다른 이미지를 구축하기에 좋다. 하지만 가슴이 있는 여성이 이런 원피스를 입으면 중성적인 매력이 표현되기는 어렵다.

한편 A라인 실루엣을 가진 원피스는 위가 좁고 아래로 내려갈수록 넓어지기 때문에 젊고 단아한 여성의 느낌을 표현하기에 적합하다. 넓은 아랫단 아래로 뻗어 나오는 다리는 실제보다 가늘고 길어 보이며, 허리 위치가 애매해 보이기 때문에 적어도 다리가 짧아 보이지 않는 것도 눈여겨보아야 할 현상이다. 예를 들어 허리선을 가슴 바로 밑으로까지 높인 엠파이어라인의 원피스를 입으면 다리가 길어 보인다. 그러면서도 치마의 형태에 따라 귀여워 보

H라인의 로우웨이스트 원피스가 어울리지 않는 체형과 어울리는 체형

가슴 큰 사람이 A라인의 엠파이어원피스를 입는 경우

이기도 하고 세련돼 보이기도 한다.

그렇기 때문에 엠파이어 라인의 원피스는 대부분의 사람에게 모두 잘 어울린다. 다만 상체가 다소 통통한 사람은 가슴이 너무 커 보일 수도 있다. 이럴 때는 허리라인이 잘록하게 살아 있고, 치마 밑단이 넓지 않다면 S라인이 살아서 섹시해 보일 수 있다. 하지만 일반적인 엠파이어라인이라면 둔해 보일 수도 있으니, 세심하게 따져보아야 한다.

그렇다면 허리선이 잘리지 않은 통짜 원피스는 어떨까?

서양식 몸매가 미의 기준이 된 요즘, 긴 다리와 가느다란 허리처럼 완벽한 비례를 갖춘, 정말 예쁜 몸매가 아니라면 이런 옷으로 예뻐 보이기는 힘들다. 특히 허리가 길고 다리가 짧은 동양인의 몸매에는 오히려 긴 허리와 짧은 다리를 백일하에 드러내는 꼴이 되기 때문에 어지간히 긴 다리가 아니라면 피하는 것이 좋을 옷이다.

동양인은 통짜형 원피스를 입지 말아야 할까? 물론 그렇지는 않다. 원피스로 몸매의 아름다운 곡선을 뽐낼 수 없다는 것만큼 안타까운 일도 없지만 잘하면 단점을 가리면서 아름다운 몸매를 드러낼 수도 있다. 열쇠는 원피스에 액세서리나 다른 겉옷들을 겹쳐 입으면서 체형의 단점을 적절히 가려주는 것이다. 원피스는 이름 그대로 하나만 입어서 다양한 옷차림을 표현하기도 하지만 다른 여러 아이템과의 코디네이션을 통해 체형의 단점을 가리고 장점을 드러낼 수 있다.

스 타 일 링 하 는　재 미

원피스와 어울리는 아이템 중에서 가장 먼저 살펴봐야 할 것은 재킷이다. 원피스의 얇은 천 하나만으로 서늘한 공기를 막기 어려울 때 슬쩍 입을 수 있는 아이템이 재킷이다. 뿐만 아니라 재킷의 견고하면서도 격조 있는 분위기는 원피스의 섹시하면서도 우아한 분위기와 너무나 궁합이 잘 맞는다. 그래서 춥기는커녕 땀을 불러일으키기 쉬운 온도에도 재킷은 자주 원피스 위로 차출된다. 그런데 원피스 위에 재킷을 더불어 입는 일은 그리 간단하지 않다. 포인트는 재킷의 형태와 원피스와 재킷의 길이이다.

앞에서 살펴보았듯이 여성의 재킷은 남성복의 재킷 이미지를 많이 변형하

직선적인 재킷과
원피스의 대비

곡선적인 재킷과
원피스의 조화

지 않은 스타일과 여성의 몸에 맞추어 많이 변형시킨 스타일, 크게 이 두 가지 종류로 구분된다. 그런데 이 두 가지 종류의 재킷이 여성적인 원피스와 어울렸을 때는 전혀 다른 인상을 불러일으킨다.

앞의 재킷에 원피스가 어울리면, 직선적인 이미지와 곡선적인 이미지가 서로 대비를 이루게 된다. 남성적인 인상과 여성적인 인상이 함께하는 것이다. 이렇게 되면 여성적이면서도 강건한 인상으로 보일 수 있다. 부드러워 보이면서도 지적으로 보이고 싶거나 강인해 보이고 싶을 때 적절한 스타일이라고 할 수 있다.

반면 허리가 잘록하고 어깨가 약간 강조된 곡선적인 스타일의 재킷을 원피스 위에 입을 경우, 둘 다 여성적인 곡선미가 뛰어난 옷이기 때문에 대비감보다는 일체감이 더해진다. 원피스의 여성스러운 곡선 위에 역시 여성적인 매력이 잔뜩 묻어 있는 재킷이 더해짐에 따라 부드럽고 우아한 여성미가 배로 증폭된다. 재킷의 격조 있는 이미지 위에 여성적인 이미지를 강화하고 싶을 때 유리하다고 할 수 있다.

이처럼 재킷의 두 가지 상반된 이미지만 잘 활용해도 동일한 원피스를 가지고도 대단히 많은 것을 표현할 수 있다.

그런데 재킷의 형태가 주로 옷의 인상과 관련된다고 하면 재킷의 길이는 몸의 비례와 관련된다. 특히 다리의 길이에 직접적인 영향을 주어서 몸매를 늘씬하게 보이게 하는가, 그렇지 않게 하는가를 좌우한다. 앞서도 보았지만 길이에 따라 보면 재킷은 크게 세 가지로 구분할 수 있다. 흔하지는 않지만 겨드랑이 부근에서 끝나는 볼레로 스타일의 재킷이 가장 짧은 재킷이고, 블루종처럼 허리 부근에서 끝나는 재킷이 그 다음이며, 일반적인 재킷은 엉덩이 끝부분에서 끝나며 가장 길다.

재킷의 다양한 길이는 원피스와 어울려서 몸매를 완전히 다르게 보이게 만든다. 예를 들어 가장 길이가 짧은 볼레로 재킷은 허리선을 보이지 않게 하고 허리선이 아주 위로 올라간 듯이 보이기 때문에 하체를 가장 길어 보이게 만든다. 하지만 이때 원피스의 형태가 어떤가에 따라서 약간의 차이가 난다. 만일 볼레로재킷 안에 엠파이어라인, 즉 가슴 바로 아래에서 치마가 시작되어서 허리 위치가 잘 보이지 않는 형태의 원피스를 입으면 하체가 시원하게 빠

짧은 길이의 볼레로재킷과
여러 스타일의 원피스와의
조형적 상관관계

져 보여서 다리가 무척 길어 보인다. 하지만 허리 위치가 잘 드러나는 X라인 원피스를 입으면 볼레로 재킷의 끝단과 그 바로 아래에 있는 허리 위치가 몸의 길이를 잘게 나누기 때문에 상대적으로 다리가 짧아 보인다. 짧은 원피스를 입는 경우에도 비슷한 효과가 나타난다. 볼레로재킷의 끝단과 짧은 치마의 끝단이 전체 신장을 잘게 나누기 때문에 생각보다 다리가 길어 보이지 않는다. 볼레로재킷에는 허리라인이 강조되지 않은 긴 원피스가 다리를 가장 길어 보이게 만든다.

허리선에서 길이가 끝나는 재킷의 경우에는 허리의 위치가 백일하에 드러나기 때문에 하체가 웬만큼 길지 않으면 다리가 길어 보이기 어렵다는 단점이 있다. 하지만 원피스 위에 입으면 상체가 아주 슬림해 보여서 모른 척할 수 없

허리에서 끝나는 재킷과
원피스의 조형적 상관관계

는 매력을 가진 옷이기도 하다. 이런 재킷은 원피스의 폭을 잘 고려해주면 효과적으로 입을 수 있다.

요즘은 롱다리가 많아서 이런 재킷을 문제없이 소화하기도 한다. 그런 경우에는 안에 어떤 스타일의 원피스를 입어도 상관이 없다. 하지만 그렇지 않은 사람이라면 치마가 재킷 아랫부분부터 밑으로 넓게 퍼져나가는 원피스를 입는 것이 좋다. 수직으로 내려오는 시각적 운동감을 가로로 퍼지게 해서 다리의 길이가 짧다는 것을 느끼지 못하게 할 수 있기 때문이다. 설사 다리가 긴 사람이라도 원피스의 길이와는 상관없이 폭이 풍성한 원피스를 입으면 더욱 더 길어 보일 수 있다. 물론 다리에 달라붙는 원피스를 입어서 긴 다리를 뽐낼 수 있다면 그것도 나쁘지는 않다.

긴 재킷에 여러 스타일의 원피스가
어울려 만드는 조형적 상관관계

우리가 알고 있는 '일반적인 재킷' 은 재킷 중에서도 가장 길이가 긴 편이다. 재킷의 길이가 엉덩이를 거의 덮기 때문에 이런 재킷을 입으면 원피스와 주객이 전도되어버린다. 말하자면 안에 입은 원피스가 마치 재킷 안에 입은 하의처럼 보인다. 이럴 경우 원피스는 길이보다는 다리에 얼마나 달라붙는가 하는 것이 중요하다.

원피스의 치마부분이 큰 존재감 없이 다리에 달라붙어서 다리의 선을 잘 드러내준다면 가장 무난하게 어울린다. 재킷을 돋보이게 해줄 수도 있으며, 재킷에 의해 허리라인이 가려지기 때문에 재킷 아래로 내려온 치마부분이 슬림할수록 다리가 날씬하고 길어 보인다.

그러나 반대로 치마부분의 폭이 넓고 풍성하다면 재킷과 대비를 이루면서 전혀 다른 표현을 할 수도 있다. 치마부분이 조형적으로 재킷에 전혀 밀리지 않고 대비를 이루기 때문에 조형적으로 긴장되고 개성이 강한 옷차림이 될 수 있다. 강하게 자기를 표현을 하고 싶다면 이런 어울림이 슬림한 것보다 유리할 수 있다.

이처럼 재킷 하나만으로도 원피스에 다양한 변화를 줄 수 있다. 각각의 조형적 성격만 잘 활용한다면 적은 수의 아이템으로도 아주 다양한 표현을 할 수 있다. 그런데 원피스에 활용하여 최대의 효과를 얻을 수 있는 것은 재킷뿐이 아니다. 벨트와 스타킹, 구두도 대단히 큰 역할을 한다.

선 택 과 집 중

원피스를 크게 두 가지 형태로 분류한다면 장식이 많은 옷과 그렇지 않은 옷이 있다. 또 다른 측면에서는 평면적인가, 입체적인가로 분류할 수 있다.

우선 장식이 입체적으로 많이 들어간 원피스를 보자. 나풀나풀한 프릴과 러플, 블링블링한 인조보석과 큐빅, 그 외에도 리본과 레이스 등 온갖 장식이 옷에 덕지덕지 붙는다면 너무 복잡한 옷이 된다. 하지만 반복적으로 장식하거나 색을 절제하여 정리하면 장식이 많더라도 완성도가 높아 보일 수 있다.

한편 입체적이면서 장식이 적은 경우는 대비를 통해 디자인을 정리할 수 있다. 장식을 한 곳에 모아 집중도를 높이고, 나머지 부분은 비워놓는 것이다.

입체적인 느낌의 원피스 중에서 장식이 많은 경우와 조형적으로 정리된 경우

목 · 가슴 · 손목이나 치마밑단 혹은 허리 등 본인이 자신 있는 부분이 강조된 원피스를 골라보자.

반면 평면적이고 장식이 많은 옷은 무늬가 있는 원피스를 생각하면 된다. 이렇게 반복적인 패턴과 어울리는 장식이 들어가 있는 원피스는 완성도가 중요하다. 안나수이의 컬렉션을 잘 살펴보면 도움이 될 것이다.

장식이 적고 평면적인 모양의 원피스는 시선이 따로 집중될 지점이 있는 것이 아니므로 입는 사람 자체를 보게 된다. 따라서, 안됐지만 이런 경우에는 입는 사람의 몸매와 옷 자체의 형태가 중요하다. 명품 브랜드 컬렉션에서 이런 형태의 원피스가 나오면 시크하고 에지 있다고 표현하지만 사실은 모델의 몸매가 5할은 먹고 들어간다. 나머지는 디자이너가 얼마나 장식을 넣지 않기

부분적으로 장식이 된 원피스

위해 몸부림치며 절제했는가를 칭찬해줘야 한다. 물론 디자이너가 뛰어난 솜씨로 멋진 형태의 원피스를 만들어내어야 하는 것은 기본이다.

원피스는 다른 소품 즉, 액세서리와 스카프, 가방과 구두 등과 함께하면서 또 다른 변화를 만든다.

벨트는 한 조각으로 된 원피스의 비례를 나누는 데 중요한 역할을 한다. 벨트의 두께와 매는 위치에 따라 그 비례는 크게 달라진다. 허리에 맬 경우 벨트가 가늘다면 그냥 상체와 하체를 나눠주는 역할을 한다. 하지만 벨트가 두꺼워지면 벨트의 면적도 비례의 한 부분을 담당하게 되어 총 세 부분으로 나눠진다.

골반에 벨트를 매는 경우는 고려해야 할 사항이 더 많다. 엠파이어라인의

벨트로 스타일링할 경우의
포인트는 비례이다

화려한 안나수이의 원피스

장식이 없는 형태이지만 뛰어난
조형성을 가진 질 샌더의 원피스

꽃무늬 원피스를 히피 스타일로 입기 위해 골반에 벨트를 매는 경우가 있다. 원피스가 짧다면 이런 스타일링은 꿈도 꾸지 말자. 다리가 길어 보이려고 입는 엠파이어라인이 잘게 쪼개져 뭔가 석연치 않은 비례를 형성하게 된다. 하지만 치마가 길다면 아래로 갈수록 면적이 넓어지므로 괜찮다.

액세서리를 매치하는 것은 포인트를 줘서 시선을 끌기 위함이다. 시선을 잡아 자신 있는 부분은 강조하고 자신 없는 부분에는 눈길이 가지 않게 하기도 한다. 브로치 · 스카프 · 목걸이 · 귀고리 · 팔찌 등이 그에 해당하는 소품이다.

하지만 시선을 끄는 것 외에도 목걸이나 스카프는 상체의 비율을 나눠주는 역할도 한다. 넓은 면적은 잘게 나누면 작아 보인다. 긴 목걸이를 이용해 긴 V

상체 중심의 스타일링 방법

라인을 형성해주거나 스카프로 상체를 여러 방법으로 나눠볼 수도 있겠다.

스카프나 액세서리는 시선을 위로 올리는 방법이다. 다리에 자신이 있다면 화려한 스타킹과 구두로 멋을 내는 것도 좋겠다. 심플한 블랙 원피스에 화려한 스타킹만으로 대비를 극대화하는 것도 방법이다.

이렇듯 원피스는 정말 여성에게 축복인 아이템이다. 창조적인 인간형은 사회생활을 하는 데에만 필요한 것이 아니라 옷을 입는 데도 필요하다. 베스트드레서는 노력 없이 얻어지는 타이틀이 아니다.

하체 중심의 스타일링 방법

Must Have Item

One -piece

몸매를 뽐내는 데는 원피스만한 것도 없다. 춥지 않은 계절이라면 그 어떤 아이템보다도 원피스 한 장이 강렬하다. 하지만 그만큼 잘못 입으면 단점이 모조리 노출되는 것도 원피스다. 레드카펫 위의 워스트드레서가 되지 않으려면 자기의 단점을 잘 가리면서 입는 것이 좋다. 그 위에 원피스 하나로 표현할 수 있는 가능한 모든 것을 시도해보는 것도 원피스를 입는 좋은 방법이라고 할 수 있겠다.

1 원피스는 뭐니뭐니해도 어깨에서 다리까지 이어지는 곡선의 우아한 리듬을 살리는 것이 생명이다. 어깨와 소매가 없는 원피스는 몸매의 라인을 수직으로 더 길어 보이게 해주는 아이템이다. 짧은 길이의 몸매를 가진 사람이라면 특히 고마워하며 입어야 할 옷이다. 게다가 어떤 색의 옷에도 어울리면서 우아한 섹시함을 표현할 수 있는 검은색 원피스는 몸매를 더욱 날씬해 보이게 만들기 때문에 추천할 만하다. 장식이 거의 없는 것으로 선택하는 것이 중요하며, 결혼식이나 장례식 등 중요 행사에 재킷이나 브로치 · 스카프 등의 액세서리만 바꿔서 백만스물한 가지 스타일로 입을 수 있다는 사실도 잘 헤아려두자.

2 자기가 좋아하는 꽃무늬나 기하학 패턴이 들어간 원피스는 남보다는 자기 자신을 더 만족시켜줄 것이다.

본인이 여성임을 드러내고 싶을 때 이런 원피스를 입으면 무료한 일상에 활력이 되기도 하며, 몸매의 단점도 원피스 아래로 살짝 감출 수 있다. 치마부분이 꽃봉우리처럼 넓어서 나풀거린다면 여성스럽게 보이기도 하지만 입기에도 훨씬 편안하다. 단, 무늬가 화려할수록 원피스의 실루엣은 단순한 것을 고르는 것이 베스트드레서로 가는 첩경임을 잊지 말자.

[redacted] 3 티셔츠가 길게 늘어난 것 같이 생긴 원피스는 티셔츠의 편안함과 원피스의 슬림한 아름다움을 동시에 갖는다.

몸에 꼭 맞아서 우아한 곡선미를 자아내는 원피스도 좋지만 적당한 여유를 가지면서 몸매를 흐르는 원피스도 몸매에 대한 큰 부담 없이 입을 수 있으니 하나쯤은 가져봄직하다.

[redacted] 4 어깨가 벌어지면서 잘록한 허리에 풍성한 치마를 가진 원피스는 전형적인 X라인의 옷이다.

통통한 하체의 단점을 가려주면서도 우아하고 섹시한 여성미를 강화해주는 아이템이기 때문에 원피스 애호가가 아니라도 하나쯤은 가지고 있어야 할 옷이다.

2 옷의 최외곽을 책임지는 코트

코트도 원피스와 마찬가지로 상 · 하의로 나누어지지 않는 대표적인 아이템이다. 그런데 코트는 추위로부터 몸을 보호하는 옷 본래의 기능성이 더 필요하다는 측면에서 다른 옷들과는 좀 다른 성격을 가진다. 코트는 다른 옷을 제 몸 안으로 감싸며, 겨울의 차가운 기운이 옷 안으로 파고들지 못하도록 옷의 최외곽을 책임진다.

추위 막으랴, 멋 부리랴

코트는 대체로 두터운 소재로 만들어지며, 몸과 많이 떨어져 있다. 그런데 그렇기 때문에 코트는 다른 패션 아이템에 비해 몸의 형태를 따라야 할 의무에서 비교적 자유롭기도 하다. 무리한 정도가 아니라면 코트는 어떤 형태로도 만들어질 수 있다. 따라서 코트는 디자인적인 측면에서도 가능성이 아주 많은 옷이라고 할 수 있다. 게다가 옷의 맨 바깥에 위치하기 때문에 눈에 가장 많이 뜨인다.

코트는 이런 이유들 때문에 단지 바깥에서 추위만 막을 뿐 아니라 겨울 패션의 모든 것을 책임져야 하는 입장이기도 하다. 아닌 게 아니라 추위가 침투하지 못하도록 사람의 몸을 꽁꽁 싸매고 있는 상황에서는 그 안쪽에 원피스가

몸의 최외곽에서 패션을 책임지는 코트

있든 파자마가 있든 전혀 보이지 않는다. 눈에 보이는 것은 겉에 입은 코트뿐이다. 그러니 겨울철 옷차림은 거의 코트에 의해 결정된다고 해도 과언이 아니다. 하지만 코트 역시 현대의복인 이상 현대 패션이 향하고 있는 방향을 외면할 수는 없다. 얼마든지 자유롭게 만들어질 수는 있지만, 형태의 자유로움을 누리기보다는 코트를 입은 사람의 신체적 아름다움을 표출하는 방향으로 발전해왔다. 하지만 많은 옷과 몸을 끌어안고 있기 때문에 코트는 현대 패션이나 유행이 지향하는 신체의 아름다움, 날씬한 몸매를 뽐내기는 참 어렵다.

중요한 건 역시 실루엣

몸을 드러내지는 못하면서도 몸의 아름다움을 표현해야 하기 때문에 코트는 신체를 직설적으로 드러내기보다는 추상적으로 모방하게 된다. 이때 중요한 역할을 하는 것이 실루엣이다. 원피스에서 실루엣은 몸매를 어떻게 드러내는가에 많은 기여를 하지만 코트에서 실루엣은 몸매를 이미테이션하는 데에 중요한 역할을 한다. 특히 코트는 다른 옷들과 겹쳐 입거나 같이 입을 수 없기 때문에 원피스보다 실루엣의 역할이 더 중요하다고 할 수 있다. 코트의 실루엣 역시 원피스와 마찬가지로 X · A · H · O형, 네 개의 실루엣으로 구분된다.

코트가 아무리 다양한 모양으로 디자인되었다고 하더라도 정상적인 코트

코트의 4가지 실루엣

라면 이 네 가지 기본 실루엣을 벗어날 수 없다. 유행이 아무리 다양하게 변한다고 하더라도 이러한 기준 실루엣 안에서 변한다. 그래서 몇 년 혹은 몇 십 년 단위로 코트의 유행이 순환되는 것이다. 그렇기 때문에 코트에서 먼저 보아야 할 것은 유행이 아니라 네 가지 기준 실루엣이다. 이들만 잘 이해한다면 코트를 입는 일은 그리 어렵지 않다.

여성성의 극한, X라인

코트는 몸과 제법 간격을 두고 옷의 최외곽을 책임지기 때문에 몸의 형태와는 별개로 디자인될 수 있다. 보온이라는 코트의 기능성을 생각한다면 굳이 몸의

여성성을 강조하는 코트의 X라인

감추면서도 섹시해 보이는 X라인 코트

형태를 따를 필요는 없다. 하지만 설사 코트 안에 있는 신체와 그대로 일치하지는 않더라도 코트가 독자적으로 여성적인 S라인을 만든다면, 설사 두터운 재질로 옷의 최외곽을 방어하는 데에만 충실해야 하는 코트라 할지라도 여성의 아름다움을 극대화하는 데에 크게 일조할 수 있다.

옷 안이 몸의 형태와는 별로 관계가 없는 모양이지만, 허리가 잘록하게 들어가서 S라인을 이루는 코트의 자태는 노출과는 관계없어도 사뭇 섹시해 보인다.그런데 X라인 코트는 허리를 가늘게 조여야만 만들어지는 실루엣이다. 허리를 가늘게 만들어야 가슴과 엉덩이가 상대적으로 강조되어 웨이브가 강한 선이 만들어진다. 그렇기 때문에 X라인 코트를 입을 때는 코트 안에 옷을 많이 껴입으면 좋지 않다. 춥지만 두꺼운 코트에 가느다란 허리를 만들기 위해서는 어쩔 수 없다. 그렇지 않으면 가슴과 배, 엉덩이가 모두 튀어나와 X라인 코트를 입는 의미가 퇴색된다. 앵그르(Jean Auguste Dominique Ingres) 그림 속의 여인네들처럼 울룩불룩한 실루엣을 연출하지 않으려면 꼭 명심해야 한다.

정신의 아름다움, H라인

차가운 공기 밖으로 펼치는 코트의 아름다움은 다른 계절의 옷들이 펼치는 그것에 비해 모자랄 것이 없지만, 코트의 아름다움은 무엇보다 묵직한 질감에서 우러나오는 격조에 있다고 하겠다.

원피스의 얇은 천은 피부 바로 위에서 부드럽게 흘러내리는 반면, 코트의 두터운 천은 굴곡이 많은 몸을 따라가기에는 저항이 적지 않다. 하지만 어떤 몸매에도 자신의 모습을 쉬이 바꾸지 않는 두텁고 투박한 코트의 질감은 깊은 신뢰감과 우아함을 불러일으킨다. 코트의 이러한 격조를 살리기에는 몸매를 과장하는 X라인보다는 몸매를 누그러뜨리는 H라인이 더 유리하다고 할 수 있다. 몸매를 전혀 드러내지 않는 H라인 코트를 입는다는 것은 고상함과 차분함을 입는 것과 같다. 더욱이 옷에 걸맞은 교양과 매너까지 갖춘다면 나이에 상관없는, 세월에 바래지 않는 아름다움을 누릴 수 있다.

몸매를 과장해서 드러내는 것도 좋지만, 단정한 품위로 몸을 감싸고 차가운 겨울 공기를 의연하게 이겨나가는 모습은 아름다움을 넘어서 감동에

절제된 H라인의 실루엣을 가진 코트

고상함과 차분함을 주는 H라인 코트

이른다. 코트를 통해 이런 멋을 부릴 수 있으니, 혹독한 겨울도 그리 싫지만은 않다.

안정적인 사랑스러움, A라인

삼각형 구조를 가진 A라인의 코트는 아래로 내려갈수록 넓어져서 안정적으로 보이며, 밑단에 비해 어깨가 상대적으로 좁아 보이기 때문에 여성적으로 보인다. 이것은 앞서 살펴본 X라인이나 H라인 코트와는 또 다른 느낌을 준다.

X라인 코트가 섹시한 여성미를 드러내고, H라인 코트가 초현실적인 어떤 정신성을 드러낸다면, A라인은 이 둘이 결합된 느낌이랄까…. 여성적이면서

A라인의 실루엣을 가진 코트의 안정적인 모습

여성적이면서도 차분한 느낌을 주는 A라인 실루엣의 코트

도 차분한, 견고함에서 우러나오는 우아함을 자아내는 특징이 있다. 조형적인 이유가 대부분이긴 하지만, A라인 코트의 아랫부분이 치마와 유사한 실루엣을 가지기 때문에 그런 느낌을 준다. A라인 코트는 차가운 겨울 공기를 차분하면서도 우아한 여성미로 데우고 싶을 때 매우 효과적이다.

몸으로부터의 자유, O라인

앞서 말한 바와 같이 코트는 몸에서 많이 떨어져 있기 때문에 굳이 사람 몸의 생김새를 따라가지 않아도 된다. 그러한 코트의 자유를 가장 정확하게 실현한 실루엣이 바로 O라인이다. 사람의 몸이 어떻게 생겼는가에 상관없이 둥글게

몸매와 전혀 상관없는 형태를 하고 있는 O라인 실루엣의 코트

유려한 곡선과 독특한 구조가
아름다운 O라인 실루엣의 코트들

생긴 코트를 통칭 O라인 실루엣이라고 한다. O라인 실루엣은 몸에서 최대한 멀리 떨어진 상태에서 몸의 형태와는 상관없는 초현실적인 조형미를 발산한다. 말하자면 코트만의 독자적인 형태를 이루는 것이 O라인이다. 이런 점에서 O라인 코트는 다른 코트와 크게 다른 길을 간다고 할 수 있다.

O라인은 몸의 구속을 완전히 벗어던진 스타일이다. 옷이 몸을 벗어던진다는 것은 바다에서 배를 버리는 것 같은 대단한 모험이다. 그것은 안정된 매출과 옷 입는 사람의 편의를 감수하면서까지 예술을 지향하는 행동이기 때문이다. 하지만 몸을 벗어던져서 만들어질 수 있는 실루엣이 O라인 하나밖에 없었을까? O라인 실루엣은 코트의 여러 가지 실루엣 중에서도 성공적으로 자리잡은 스타일이라고 할 수 있다. 몸과의 관계를 벗어던지긴 했지만 옷인 이상은 그것을 입은 사람에게 큰 불편함을 야기시키지 않아야 하며, 다른 실루엣에 버금가는 아름다움을 가지고 있어야 하는데, 거기에 적합하게 만들어진 것이 O라인이라고 할 수 있다.

O라인 코트의 승부처는 유려한 곡선과 독특한 구조라고 할 수 있다. O라인 실루엣은 자칫하면 '녹색 언덕에서 손을 흔들며 살고 있는 네 명의 캐릭터'를 연상케 할 위험이 있다. 하지만 코트의 아름다운 곡선이나 독특한 구조는 그런 위험을 차단할 수 있다. 그리고 코트가 가진 조형적 아름다움을 그 옷을 입고 있는 사람의 아름다움으로 환원시킨다.

한편 둥글둥글한 O형 실루엣의 코트는 부드럽고 아기자기해 보인다. 그래서 실제보다 사람을 더 부드럽게 만드는 효과가 있다. 하지만 잘못하면 뚱뚱하고 둔해 보일 수 있기 때문에 조심해서 입어야 할 옷이기도 하다. 그럴 때는 둥근 코트 아래로 다리에 딱 달라붙는 옷을 입는 것이 좋다.

그렇게 되면 둥근 코트와 길쭉한 다리의 형태가 강하게 대비되어서 몸매가 훨씬 날씬해 보일 수 있다. 다 보여주지 않고 암시만 주는 것이 때론 더 효과적일 수 있다는 것을 잘 보여주는 옷차림이라 할 수 있겠다.

어쨌거나 날렵할수록 예쁜 X · A · H라인에 비해 O라인은 코트와 신체 사이에 공간이 많아 속에 여러 겹을 겹쳐 입어 보온성을 높일 수도 있고, 신체적으로도 압박감이 적어서 편하다. 놀이동산의 캐릭터로 오해받지 않게만 하면 겨울의 멋을 한껏 즐길 수 있는 스타일이기도 하다.

O라인 코트 날씬하게 입기

Must Have Item
Overcoat

코트는 두툼하기 때문에 몸매의 단점을 잘 보완해주며, 코트가 이미 가지고 있는 격조 때문에 적당히 입어도 맵시가 나는 아이템이다. 하지만 그렇다고 해서 무신경하게 입었다가는 큰 낭패를 보는 것이 코트다. 코트는 감추면서도 표현을 해야 하는 이중성이 있기 때문에 잘만 하면 적은 노력으로 최고의 결과를 얻을 수 있고, 그렇지 않다면 그저 추위를 막기 위해 둘러싼 천이 되고 만다.

가격이 비싼 편이며 유행을 그리 많이 타는 것도 아니기 때문에 가장 기본적인 것 위주로 장만하는 것이 좋다. 그리고 평소에 자신이 입는 옷의 스타일을 잘 생각해보고 실루엣을 중심으로 고르는 것도 요령이다.

[redacted] **1** 코트라면 아무래도 어떤 추위라도 막아낼 수 있는 강인함에서 오는 격조가 매력이라고 할 수 있다.

어깨에서부터 허리와 다리에 이르기까지 일정한 폭으로 내려오는 H라인 코트가 여기에 가장 적합한 스타일이라고 할 수 있겠다. 그래서 H라인 코트는 그동안 차분함 · 정숙함의 대명사로 받아들여졌다. 하지만 슬림한 몸매가 대세인 요즘에는 다소 좁은 폭을 가진 H라인 코트가 그 어떤 코트보다도 섹시해 보인다. 좁고 긴 코트의 실루엣은 수직의 동세가 강해 몸매를 마치 순정만화에 나오는 주인공처럼 만들어주기 때문이다.

[redacted] **2** 여름철 볼륨 있는 몸매로 뭇사람의 시선을 끌었다면 두툼한 겨울 코트가 불만일 수 있을 것이다. 허리가 잘록하게 들어가고 코트의 아랫부분이 넓게 퍼지는 X라인 코트라면 어느 정도 위안이 되지 않을까? 혹은 여름철에 몸매를 마음껏 노출할 수 있는 입장이 아니었다면 이런 모양의 코트로 S라인 몸매를 마음껏 표출해보는 것도 좋을 것이다.

[redacted] **3** 코트의 소재도 그렇지만 코트의 모양새도 여성스럽기가 어렵다. 추위를 막아야 한다는 일차적인 의무가 있기 때문이다.

코트는 그것을 소재나 모양으로 나타내야 한다. 하지만 겨울철이라고 여심이 동면에 들어갈 수는 없다. 추위의 장벽을 넘어서라도 여성스러움을 나타내고 싶은 게 인지상정. 이럴 때를 위해서 밑단이 넓은 A라인 코트가 존재하는 것이 아닐까?

[redacted] **4** 소재의 주인을 쉽게 알아볼 수 있는 밍크코트와 같은 아이템은 그저 입기만 해도 기품이 뚝뚝 떨어진다. 없어서 그렇지, 추위를 막는 능력도 뛰어나고 보기도 좋으니 누구나 한 벌쯤은 갖추고 싶을 것이다. 요즘은 인조 소재도 많아서 어렵지 않게 갖출 수 있기도 하다. 하지만 이런 코트를 무조건 입기만 한다고 럭셔리해 보일 수 있는 것은 아니다. 과하면 '땅 보러 다니는 사람'으로 오해받을 위험이 있다. 기본적으로 이런 코트는 O라인의 실루엣을 갖는다는 것을 명심하자. 위는 풍성하되, 추워도 아래는 반드시 슬림하게 입는 것이 요령이다.

S T Y L E

06 스타일을 빛내는 패션의 친구들

샤넬은 옷 못지않게 패션에서 소품이 중요한 역할을 한다는 것을 강조하고 토털패션을 주장했다. 그녀는 가방이나 신발을 옷의 부속물로 보지 않고, 옷과 일대일로 어울려서 전체적인 옷맵시를 이루는 중요한 일원으로 보았다.

사실 옷에 붙어 있던 여러 장식이나 과장된 스타일을 모두 털어낸 현대의상에서 모자·장신구·신발 등의 소품이 그 빈 공간을 채우지 않았다면 얼마나 황량했을지 모른다. 이들이 맡은 역할은 단조로운 옷차림에 변화를 주어 최고의 맵시를 내도록 하는 것이다. 때로 사람들의 눈을 현혹시키기도 하지만 주로는 결정적인 포인트를 주어 옷차림에 활력을 불러일으킨다.

1 들고다니는 여자의 자존심, 가방

남성의 세계에서 시계나 운동화가 자존심의 척도라면 가방은 여성의 자존심을 대변한다. 그러나 엄마 가방을 빌려서 들고나온 것처럼 어울리지 않는 가방 때문에 전체 옷차림이 어설퍼지는 경우가 비일비재하니 이럴 때는 최고급 명품이 오히려 주인 잘못 만나 고생이다.

가방은 가방일 뿐이다. 아무리 값비싼 명품 가방이라고 하더라도 옷차림의 전체적인 맥락 속에서 맡은 역할을 할 때 명품의 빛을 발하게 된다. 가방은 항상 전체의 한 부분으로서 전체 옷차림의 구조 속에서 자기 자리를 잡아야 한다.

은근하거나, 튀거나

옷차림은 크게 상의와 하의 그리고 가방, 이렇게 세 개의 군으로 나누어서 살펴볼 수 있다. 가방은 이런 구조 위에서 패션의 주변을 도는 위성과 같은 역할을 한다. 예를 들어 옷차림에서 심심한 부분을 강조하는 포인트 역할을 하거나, 전체 옷차림에 은근히 묻어가면서 존재감을 드러내기도 한다.

그래서 고급 브랜드의 오래도록 사랑받는 스테디셀러들을 보면 갈색 · 검정 등 명도와 채도가 낮은 색이 주류를 이룬다. 이는 튀지 않는 색과 모양으로 전체 옷차림에 은근슬쩍 따라가는 것이 가방의 본분이기 때문이다. 사실 브랜드 로고를 은근히 드러내기만 해도 가방의 역할은 충분하다고 할 수 있다. 루이비통 · 구찌 · 에트로 · 프라다 · 샤넬의 대표적인 가방이 모두 그렇다. 그래서 명품 가방에서 우선 챙겨야 할 것은 색이다. 가방을 들었을 때 가장 먼저 눈에 띄는 것이 색의 어울림이기 때문이다.

대부분의 명품 가방은 탁한 색, 즉 채도가 낮은 것이 많다. 그 중에서도 노란색이나 빨간색이 중심이 된 따뜻한 색조가 많다. 화려한 난색 계열(빨강 · 주황 · 노랑)의 옷에 맞추어 들었을 때 무난하면서 따뜻한 느낌을 줄 수 있기 때문이다.

갈색 가방과 난색, 갈색 가방과 한색의 코디

반면 파랑 등 한색 계열의 옷과 들 경우 어울리지 않는 듯 어울릴 수 있는데, 이유는 주황과 파랑의 보색관계에서 다른 색이 조금씩 섞여 색의 충돌을 완화시켜주기 때문이다. 그래서 갈색계열의 루이비통·구찌·펜디 등의 가방이 대중적인 인기를 끌고 있는 것이다.

에트로의 페이즐리 무늬는 좀더 직접적으로 여러 색을 포함하고 있다. 전체적으로 빨강·노랑·초록색이 섞인 무늬지만 전혀 유치하거나 혼란스러워 보이지 않는다. 색이 어둡고 탁해졌기 때문이다. 하지만 본래의 색이 다양하기 때문에 어떤 옷에 들어도 무난하게 어울릴 수 있다.

하지만 이렇게 탁하고 짙은 색은 우아하고 오묘한 느낌은 나지만, 너무 안정적이어서 일명 '노티'가 나기도 한다. 고급스럽고 비싸서 할머니 연배나 어

에트로 가방을 들고 상·하의 색이 다양한 옷을 입은 여자 세 명

머니 연배의 분들에게는 더없는 품위를 불어넣지만, 어린 여성에게는 치명적이다. 엄마 가방을 들고 나왔다는 소리를 듣는 것은 그런 이유 때문이다.

많은 브랜드는 이런 문제를 감안하여 젊은 사람들에게도 어울릴 수 있는 디자인을 내놓고 있다. 색만 잘 조정해주어도 된다. 예를 들어 흰색 바탕에 알록달록 화려한 원색과 형광색으로 장식된 루이비통의 멀티컬러 스피디는 어린이도 들고다닐 수 있는 명품가방이라는 새로운 획을 그었다. 이처럼 유행에 민감한 젊은 층을 겨냥한 제품은 대개 밝고 화려한 원색이나 형광색 등으로 시선을 끄는 방법을 많이 쓴다. 명품의 무게감을 잃지 않으면서도 이렇게 젊은 분위기를 만들 수 있다는 것은 쉬운 일은 아니다.

아무튼 가방에서 중요한 것은 색이라고 할 수 있다. 상·하의 옷과 가방이

화려한 색의 가방과 상 · 하의 다른 색 옷,
화려한 색의 가방과 검정 옷

매치할 때는 브랜드 로고가 아니라 가방이 포인트가 되어 튀게 할 것인가, 옷과 무난하게 조화시킬 것인가를 먼저 결정하는 것이 순서이다.

어디에 덩어리를 더할 것인가

가방은 크게 물건을 넣는 주머니 부분과 끈으로 구성되며, 세 가지 방법으로 가방을 몸에 걸친다. 등에 메거나, 어깨에 메거나, 손에 드는 것이 그것. 이것은 가방과 옷을 매치시킬 때 고려해야 할 중요한 사안 가운데 하나다.

학창 시절 주로 애용하던 백팩(배낭형)은 패션에 있어 조금 소외되는 등을

가방 멘 사람의 옆모습

꾸며준다. 대칭형의 가방을 양 어깨에 걸치면 무게가 어깨 전체로 분산되며 듬직한 무게감을 느끼게 해준다. 백팩은 끈 길이를 조절하여 거북이 등처럼 등에 딱 달라붙게 하거나 엉덩이까지 길게 내려줄 수도 있다. 옆에서 보면 백팩을 어느 위치에 매었는가에 따라 키를 커 보이게 할 수도 있고, 가방의 무게로 쳐져 보일 수도 있다는 것을 알 수 있다. 물론 가방의 크기도 큰 영향을 미친다.

어깨에 멜 때도 한쪽 어깨에 바로 메거나, 몸을 사선으로 가로지르게 메는 두 가지 방법이 있다. 손에 드는 방법도 손에 직접 들거나 팔꿈치까지 올려서 드는 방법이 있다. 이 모든 것은 결국 끈 길이에 따라 주머니 부분이 어느 부위에 위치하는지 결정되는 것이다. 겨드랑이 뒤에 붙을 수도, 엉덩이 부분에

손 · 팔 · 겨드랑이 · 엉덩이 등에 가방을 들었을 때의 모습

위치할 수도, 손이나 팔 중간에 자리할 수도 있다. 하지만 그 어느 것도 몸에서 떨어질 수는 없다.

실루엣으로 본다면 끈이 짧고, 주로 상체 윗부분에 위치할수록 (물론 몸에는 붙어 있지만) 땅에서 많이 떨어져 있으므로 긴장감을 주며, 격조 있어 보인다. 따라서 정장을 차려 입어야 되는 공식석상에서는 이런 형태의 가방이 주류를 이룬다고 할 수 있다. 이에 비해 캐주얼하고 편안한 복장에는 긴 끈의 큼직한 가방으로 안정감과 자유로운 분위기를 연출하는 것이 좋다.

이처럼 가방은 일차적으로 옷차림을 보조해주는 조형적 역할을 한다. 그렇기 때문에 언제나 전체적인 옷차림을 전제로 고려되어야 하고 옷에 어울리는 방식으로 드는 것이 좋다. 하지만 재킷이나 스커트에는 많은 신경을 쓰

캐주얼한 복장과 크로스백, 포멀한 복장과 핸드백

면서 가방에 대해서는 긴장의 끈을 놓치는 경우가 많다. 자칫하면 가방을 들고다니는 것이 아니라 가방에 끌려다니는 것처럼 보이기 쉬우니 조심하도록 하자.

Must Have Item

Bag

남자에게 자동차라면 여자에게는 가방이다. 가방만큼 여성의 자존심과 미적 취향을 대변해주는 아이템도 없다. 지갑 · 핸드폰 · 수첩 · 디카 · 파우치 등을 넣는 작은 핸드백과 학교나 회사에 들고 다닐 서류와 파우치, 책 등을 넣을 만한 크기의 숄더백, 이 두 가지 종류는 기본으로 갖고 있는 것이 좋다. 친구나 애인을 만날 때, 주말이나 결혼식 등의 행사 때 사용할 핸드백은 격식을 차려야 할 자리에서 드는 클래식한 스타일과 편한 자리에서 자신의 개성을 드러낼 수 있는 스타일 두 가지가 있으면 어느 자리에 있든 든든할 것이다. 숄더백은 평소 자주 입는 옷의 스타일을 생각해서 색상 · 소재 · 모양을 선택해야 한다.

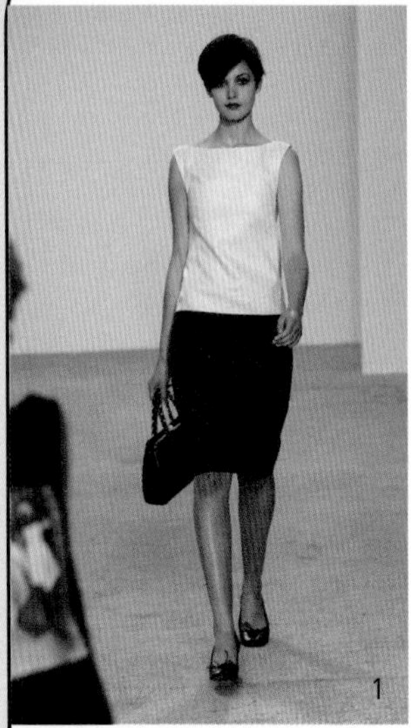
1

1 핸드백은 작기 때문에 옷차림 전체를 보면 포인트 역할을 한다.

조형적으로 포인트는 전체와 어울리면서도 악센트를 주어야 제 역할을 다했다고 할 수 있다. 핸드백의 형태는 크게 각이 진 직선적 이미지를 가진 것과 곡선적인 이미지를 가진 것으로 나눌 수 있다. 각이 진 형태의 핸드백1은 일단 포멀한 정장에 잘 어울리고 곡선적인 형태의 핸드백2는 다소 편안하고 캐주얼한 옷차림에 잘 어울린다. 하지만 이것은 기본이고, 의도적으로 반대로 매치하는 경우도 있다. 악센트를 주기 위해서는 강하게 대비해주는 것이 유리하기 때문이다. 그래서 핸드백은 필요에 따라서 적절히 선택하는 것이 중요하다. 옷과 어울리지 않은 뜬금없는 핸드백은 아무리 명품이라도 소용이 없다.

2

2 핸드백의 색깔도 빼놓을 수 없다. 대비감으로 눈길을 끌고 싶다면 대비가 심한 색의 핸드백을 매치하는 것이 좋고, 얌전한 인상을 주려면 대비가 거의 없는 색의 핸드백을 드는 것이 좋다. 물론 이런 계산 없이 상표만 자랑하겠다고 덤비면 교양을 의심받을 수 있다.

3 숄더백은 크기 때문에 옷차림에서 차지하는 비중이 크다.
핸드백과 마찬가지로 곡선적인 형태와 직선적인 형태를 가려서 갖추면 옷차림을 더욱 돋보이게 할 수 있다. 부드러운 곡선의 가방이라면 전체 인상을 부드럽게 만들어주고, 특히 곡선의 몸과 잘 어울린다. 이런 류의 숄더백을 선택할 때는 곡선의 아름다움이 몸매와 얼마나 조화를 이룰 수 있는지 잘 고려해야 한다.

4 박스 모양의 전통적인 숄더백은 딱딱한 느낌은 있지만 고전적인 격조를 가져다준다는 점에서는 놓칠 수 없는 아이템이다. 캐주얼한 복장에는 신뢰를, 클래식한 옷차림에는 무난한 조화를 가져다준다.

2 두근두근 구두

〈섹스 앤 더 시티〉 이후 '슈어홀릭'이라는 새로운 증후군이 사회적으로 대두되었다. 이제 수제화라는 이름하에 3~40만 원짜리 구두는 값비싼 사치가 아니라 소중한 나를 위해 당연히 투자해야 할 대상이 되었다.

옷이나 가방, 신발 등으로 나의 가치를 높일 수 있다고 생각하기에 겉모습을 꾸미는 데 많은 시간을 투자한다. 아름다운 구두를 살 수 있는 안목과 취향과 능력이 있다는 것은 사치를 넘어 자기를 방어하는 중요한 기재가 된다. 이러한 것들이 합쳐지면서 신발에 대한 여성의 관심이 폭발적으로 증대되고 있다.

구두의 '급'을 결정하는 '굽'

사람의 몸은 식물처럼 땅에서 수직으로 서있다. 그런데 발은 땅과 같은 수평 방향으로 누워 있다. 그 덕분에 사람은 땅 위에 안정되게 서있을 수 있기는 하지만 조형적으로는 몸 전체의 동세와 동떨어져 있다.

그런데 이때 발이 길어지면 수평성이 강해져서 키의 수직 동세를 약화시킨다. 상대적으로 키가 작아 보이는 것이다. 반대로 발의 길이가 짧아지면 키가 커 보이는 현상이 생긴다.

여자의 구두는 그저 예쁘게 보이기 위한 패션 소품이 아니라 이런 조형적 상관관계에서 시각적 키 높이를 결정하는 중요한 역할을 한다. 그것을 잘 보여주는 것이 하이힐이다.

하이힐은 뒤꿈치를 높여서 키를 커 보이게 한다고 생각하기 쉽지만 조형적으로 보면 발의 수평성을 완화시킴에 따라 키를 커 보이게 한다고 볼 수 있다. 하이힐로 뒤꿈치가 높아지면 발의 수평적 동세가 사라지고 오히려 신체의 수직적 동세에 동화된다. 특히, 하이힐을 신으면 발등의 각도가 거의 수직에 가까워지기 때문에 발의 동세가 수직으로 변한다. 이렇게 수평에서 수직으로 바뀐 부분만큼이 키에 보태져서 키가 커 보이는 것이다. 이처럼 키를 커보이

사람 몸의 수직성과 발의 수평성

게 만드는 데에는 뒤꿈치보다는 발등의 역할이 결정적이라고 할 수 있다.

굽만 높다고 키가 커 보이는 것은 아니라는 것은 옛날에 유행했던 통굽신발을 보면 금방 알 수 있다. 통굽신발을 신으면 실질적인 키는 커지지만 발의 수평적 동세가 거의 그대로 유지된 채로 신발의 높이만큼 올라간다. 그러다보니 발 부근은 마치 노예가 도망치지 못하게 무거운 족쇄신발을 신겨놓은 것처럼 대단히 육중하고 무거워 보인다.

이렇게 되면 시각적으로 위로 산뜻하게 올라가는 동세가 아니라 신발 쪽으로 급격하게 내려가는 동세가 형성되기 때문에 키가 생각보다 커 보이지 않는다. 그리고 보통 앞에서 볼 때 사람의 키는 발끝부터의 높이로 측정하기 때문에 통굽신발의 높이는 키를 커보이게 하는 데는 별 역할을 하지 못한다. 게

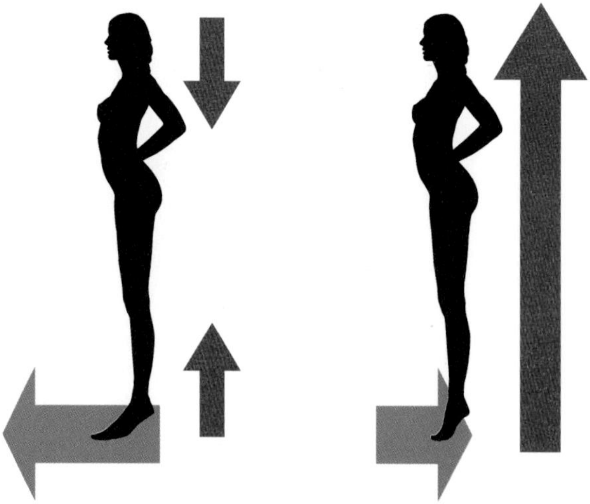

발의 길이와 키의 상관관계

다가 통굽신발은 구두 굽과 구두 모양이 매우 둔탁해서 별로 예뻐 보이지 않는다는 치명적인 약점이 있다.

결국 스타일은 전체적인 '조화' 라고 말할 수 있겠다. 아무리 높은 굽을 신어도 전체적인 차림새와 따로 놀면 높은 데서 몸만 고생하고 원하는 스타일은 얻지 못한다.

하이힐의 동세와 키의 상관관계

통굽신발의 효과

구두 굽과 발등의 파임

키를 커 보이게 만드는 데 구두의 높이보다는 발등의 역할이 크다는 것은 구두 디자인과 키의 상관관계에 있어 재미있는 효과를 만들어낸다. 구두 굽이 높지 않더라도 발등 처리에 따라 키를 커 보이게 할 수 있기 때문이다.

구두는 굽의 높이, 굽의 모양, 발의 노출 정도에 따라 디자인이 다양하게 나누어지는데 가장 중요한 요소는 굽의 높이다. 구두의 굽이 어떤 높이인가에 따라 구두의 모양새나 성격이 크게 달라지기 때문이다.

보통 구두의 굽은 1cm 내외의 아주 낮은 굽부터 3~5cm의 중간 굽, 7~9cm의 높은 굽, 그 이상의 아주 높은 굽으로 나뉜다. 보통은 구두의 굽이 높을수

굽의 높이에 따라 형태의 특징이 달라지는 구두

두 가지 상반된 신발 구조가 키에 미치는 영향

록 키가 커 보인다고 생각할 수 있겠지만 여기서 중요한 변수는 발등이 얼마나 많이 파이는가 하는 것이다. 발등이 얼마나 많이, 어떻게 파이는가에 따라 키 높이에 많은 영향을 준다. 예컨대 굽이 높은데 발등이 많이 파이지 않는 경우, 굽이 낮으나 발등이 많이 파인 경우를 살펴보면 그 영향을 어렵지 않게 이해할 수 있다.

앞서 언급한 대로 굽이 높은 하이힐은 발등의 각도가 수직으로 바뀌면서 곧바로 키를 커 보이게 만든다. 굽이 낮은 신발의 경우에는 발등이 많이 파이면 굽이 높지 않더라도 노출된 발등 길이만큼이 키 높이에 합류되기 때문에 키가 커 보일 수 있다. 물론 무조건 발등이 노출된다고 가능한 것이 아니라 노출된 발등의 길이를 키 높이에 자연스럽게 합류시킬 수 있는 디자인이라야 한다.

낮은 굽의 신발은 발 전체의 수평적 동세를 완화시키면서, 발등을 수직으로 올라가는 키의 동세에 합류시켜야 하기 때문에 고도의 조형적 착시효과가 필요하다. 이처럼 구두의 높이와 키에는 매우 복잡한 시각적 상관관계가 있는데 이것을 잘 이해하고 활용하면 구두를 선택할 때 매우 유리하다.

구두 굽의 혁명

슈어홀릭에게 구두란 신는 실발이기도 하지만 일종의 컬렉션을 위한 수집 대상이다. 구두는 옷과 달리 단단한 형태이며 하나의 조각작품처럼 보이기도 하는데, 이것은 그리 오래되지 않은 현상이다. 갑자기 런웨이 디자이너들이 구두 굽을 초현실적인 형태로 내놓기 시작한 것이 시작이었고, 그 이후로 세련되고 예쁜, 그러나 획일적인 디자인에서 벗어난 새로운 형태에 대한 연구가 활발하게 진행되었다.

마크 제이콥스는 가로로 뉘인 초현실적인 굽을 선보였고, 프라다는 곡선과 꽃을 모티브로 디자인했다. 칼 라거펠트는 굽 대신 전구를 넣어 실제로 빛이 나는 구두를 디자인했다. 이외에도 다양한 디자인이 새로운 영역을 개척해나갔다. 그러나 아무리 화려한 굽도 구두의 본래 구조에서 벗어나지 못한다.

패션 디자이너들이 디자인한 하이힐

패션에서 구두의 역할

패션에서 구두는 키만 커 보이게 하는 데서 그치지 않는다. 키가 커 보인다는 것은 단지 하나의 특징일 뿐이고 이것으로 패션의 모든 문제가 해결되지는 않는다. 실제로 옷을 입을 때 구두의 중요한 역할은 옷을 돋보이게 하고, 전체적으로는 옷을 입은 사람이 원하는 인상을 구축하는 것이라고 할 수 있다. 그런 점에서 구두는 몸매를 늘씬해 보이게 한다는 기능적인 역할 말고도 하나의 소품으로서 구두 자체가 패션에 기여하는 측면이 있다.

여기에는 크게 두 가지 방향이 있다. 전체적인 옷차림새에 맞춰 마치 옷과 구두가 한 몸인 듯 조화되는 경우가 있고, 옷의 느낌과는 상반되는 이미지로 패션의 포인트나 액세서리 역할을 하는 경우가 있다. 조형적으로 본다면 전체의 일부로 무난하게 조역의 역할을 얌전히 하는가, 아니면 패션을 끌고가는 주인공 역할을 하는가로 나뉜다고 할 수 있다.

옷과 구두의 궁합

대게 옷을 잘 입는다고 평가받는 사람을 유심히 보면 시간과 장소 그리고 상황에 맞는 옷을 적절히 잘 갖춰 입는다. 이것이 요즘 패션 용어로 자주 쓰이는

단순한 옷과 단순한 모양의 구두

T P O 이다. 즉, Time(시간) · Place(장소) · Occasion(상황 · 경우)에 맞게 옷을 입는 것이 진정 패션을 아는 사람이라는 것이다. 말하자면 철을 가릴 줄 안다는 것이다. 이는 크게 본다면 격식을 차려야 할 곳에서 혼자 튀겠다고 파티복처럼 가슴이 파이거나 짧은 치마를 입어서 보는 사람을 낯 뜨겁게 해서는 안 된다는 것이고, 작게는 화려한 옷에 교복 단화 같은 신발을 신어 조화를 깨서는 안 된다는 것으로 모두 같은 맥락이다.

구두가 조연을 할 것이냐, 주연을 할 것이냐의 문제는 모두 이런 전체적인 상황과 조화라는 변수와 관련해 판단해야 한다. 주연을 해야 할 때 조연을 하고 조연을 해야 할 때 주연을 한다면, 아무리 비싼 구두를 신었다고 할지라도 돋보일 수가 없을뿐더러 보는 이로 하여금 안타까운 마음을 불러일으킬 수 있다. 그런 실수 아닌 실수를 하지 않기 위해서는 우선 구두의 조형적 속성과 옷의 조형적 속성이 어떤 결과를 낳는지 그 함수관계를 면밀히 이해할 필요가 있다.

구두의 형태는 무수히 많겠지만 형태의 속성으로 나누면 크게 화려한 것과 단순한 것 두 가지로 나눌 수 있다. 그 위에 있는 옷도 마찬가지다. 이렇게 보면 옷과 구두의 형태적 상관관계는 단순한 옷과 단순한 구두, 화려한 옷과 단순한 구두, 단순한 옷과 화려한 구두, 화려한 옷과 화려한 구두의 어울림, 이렇게 크게 네 종류로 구분해볼 수 있다. 이런 구조 안에서 옷과 구두는 다양한 함수관계를 형성하게 된다.

현대로 올수록 패션 디자인이나 건축 등은 복잡한 장식보다는 단순한 형

화려한 옷과 단순한 모양의 구두

태를 지향하고 있다. 단순한 형태란 눈을 자극하는 감각보다는 정신적 가치를 고양시키는 지성을 지향하는 형태이다. 이런 형태는 눈에 보이는 겉모양보다는 형태 아래에 배어있는 은은한 정신이 매력으로 다가온다.

만약 구두나 옷이 이렇게 단순한 형태로만 이루어져 있다면 전체적으로 통일된 조형적 속성을 구축해서 보는 사람들로 하여금 무균질의 안정된 이미지를 느끼게 한다. 또 이러한 단순한 이미지는 옷 입은 사람의 지성미를 가득 느끼게 해준다. 그러나 조심할 것이 있다. 형태가 단순할수록 선별하기가 어렵다는 것이다. 그것은 간단한 면 티셔츠 하나 사는 데 화려한 옷을 고를 때보다 더 많은 시간을 쏟는 경우를 보면 알 수 있다. 형태가 단순할수록 비례·대비·질감·색상 등이 민감하게 작용한다.

디자인의 기본은 정리, 정돈이다. 이것만 잘해도 반은 해결된다. 옷을 입을 때도 마찬가지다. 교복을 벗고 자신의 의지로 옷을 처음 입는 대학 새내기들이 가장 많이 하는 실수 중 하나가 과유불급의 코디네이션을 하는 것이다. 이미 레이스며 주름, 보석 등 장식이 많이 들어간 블라우스에, 그에 못지않게 장식적인 치마와 귀고리에 목걸이에 자꾸만 욕심이 나서 하나둘 더하다보면 안 하니만 못한 상태가 된다.

이렇듯 장식이 많아 화려한 형태의 옷을 입었을 때 구두를 단순한 형태로 마무리해주면 한결 정리된 인상을 줄 수 있다. 여기에 색을 잘 이용하면 정리된 인상을 주면서 집중되는 효과도 얻을 수 있다. 화려한 무늬의 원피스를 구

단순한 옷과 화려한 모양의 구두

성하는 색상을 하나 골라 그 색의 구두를 신어보자. 물론 화려한 옷에 화려한 구두를 신는 경우가 나쁘다는 것이 아니다. 자신이 원하는 효과를 주기 위한 전략을 잘 짜야 한다는 것이다.

이것은 아주 간단하게 당신을 감각 있는 사람으로 둔갑시켜줄 수 있는 방법이다. 감각 있는 사람이라는 표현에서도 알 수 있듯이 이 방법은 가장 말초적인 감각을 자극시켜 찰나적 즐거움을 주는 것이다. 뉴욕에서 온갖 연애와 성담론을 펼치던 캐리와 '신상'을 외치던 한 국내 여자 연예인이 패셔니스타로 등극하게 된 방법이기도 하다.

단순한 옷에 화려한 구두를 신는 것이 옷을 잘 입은 것 같은 인상을 주는 이유는 디자인의 기본이 되는 대비를 잘 활용했기 때문이다. 위의 화려한 옷과 단순한 모양의 구두도 같은 방법이지만 이 방법이 좀더 자극적이다. 상대방이 볼 때 시선을 발끝까지 유도하기 때문이다.

위의 방법이 화려한 옷으로 위에서 시선을 잡다가 발에서 마무리 정리되는 느낌이 강하다면 이 방법은 일종의 반전을 노리는 것이다. 한동안 영화계에서는 반전이 얼마나 강한 인상을 남기는가에 따라 잘 만들어진 영화다, 아니다로 나뉘기도 했다. 패션도 마찬가지로 가장 간단하기 때문에 누구나 따라하기 쉽다. 하지만 이런 식의 옷차림이 거리를 덮고 있어서인지 때론 오래오래 뭉근히 끓인 스프같이 깊고 볼수록 매력적인 진정한 '패션 고수'를 보고 싶어진다.

화려한 옷과 화려한 모양의 구두

Must Have Item

Shoes

구두라면 자다가도 벌떡 일어날 마니아가 적지 않다. 여성에게 구두는 단지 땅바닥을 직접 밟지 않아도 되게 하는 헌신적인 물건이 아니라, 두 손으로 머리 위로 떠받쳐도 될 만한 소중한 아이템이다. 옷보다는 작고, 가격도 적당한 만큼 많이 구비해놓을 수 있는 패션소품이다. 일단 구두는 다양한 종류를 구비해놓는 것이 좋다.

1 구두는 작고 맨 아랫부분에 있기 때문에 주인공이 아니라 엑스트라다. 모든 옷에 어울릴 수 있으면서도 옷의 아름다움을 돋보일 수 있어야 한다. 그러기 위해서 가장 기본적으로 갖추어야 할 것은 검정색 정장용 구두라고 할 수 있다. 그런데 구두는 색뿐 아니라 앞코 라인과 굽이 인상의 많은 부분을 결정한다. 마른 사람이나 보통 체격은 앞코도 뾰족한 스틸레토 힐 1이 에지 있어 보인다. 귀여운 인상을 원한다면 둥근 앞코 2를 선택하는 것이 좋다. 하지만 하체가 좀 튼실하다면 바지폭이나 다리에서 시선이 연장되므로 굽도 약간 두꺼운 것 3으로 고르는 것이 좋다. 기본형 구두는 정말 마음에 드는 라인을 발견하면 몇 년이고 고쳐 신을 수 있으므로 처음부터 완성도가 높은 것을 사두면 좋다. 쉽지 않겠지만 편하면서 멋스러운 것을 찾기 위한 노력을 기울여야 한다.

스킨톤의 구두 4는 다리와 구두의 경계를 허물어 다리 길이를 길어 보이게 하는 아이템이기 때문에 갖추어놓으면 유용하다.

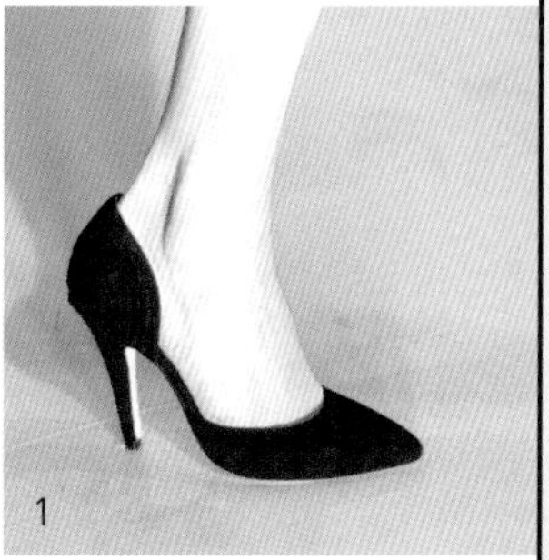
1

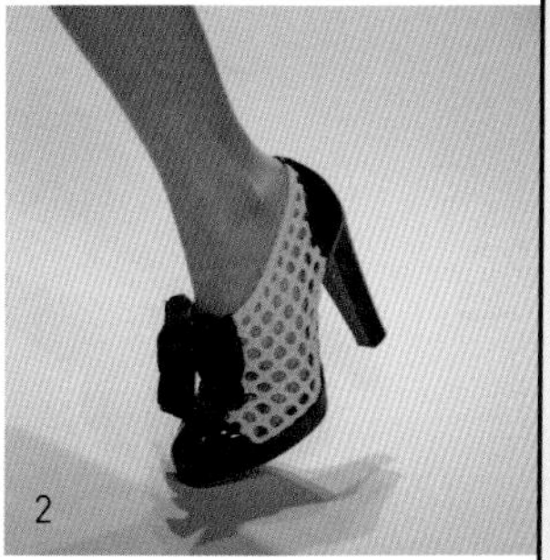
2

3

4

2 앞뒤가 모두 막힌 구두는 격조나 품위를 표현하기에는 유리하지만 신고 다니기에는 그리 좋지 않다.

여름과 같이 더운 계절에는 구멍이 숭숭 뚫린 샌들만 한 것이 없고, 밝고 맑은 원색의 옷을 많이 입기 때문에 흰색 샌들1 하나면 별 고민 없이 세련된 옷차림을 실현할 수 있다. 보통은 낮은 굽의 샌들을 신지만 굽이 높은 샌들2은 샌들에서 부족하다고 할 수 있는 무게감을 보완해서 격조 있는 분위기를 가미해준다.

1

2

3 머리가 아니라 몸을 돋보이게 하는 모자

모자란 무엇일까? 액세서리일까, 옷일까? 머리에 입는 옷? 모자는 액세서리와 옷 사이의 어느 한 지점에서 패션의 변방을 책임진다. 옷이 몸매를 보완하고 매력적으로 보이는 역할을 한다면 몸매와 별도로 개인의 캐릭터를 부각시키는 역할을 하는 것이 모자다.

사람의 정체성을 결정하는 모자

사람의 아이덴티티는 얼굴에 집중된다. 얼굴은 개개인에 대한 정보를 판단하는 시작이자 끝이다. 옷에 비해 영향력이 미미해 보일 것 같은 모자는 그러한 얼굴에 가장 가까이 위치하면서 얼굴의 인상을 좌우한다. 물론 팔 · 다리를 움직이는 데는 그다지 영향을 주지 않기 때문에 옷에 비해 형태가 상대적으로 자유롭다. 하지만 어떤 모자를 쓰느냐에 따라 그 사람의 사회적 지위와 성격이 판단되기 때문에 무작정 자유로울 수는 없다.

모자는 신체 중 가장 중요한 머리를 보호하거나 장식하면서 키의 맨 꼭대기에 위치하기 때문에 옛날부터 옷에 비해 그 중요성이 전혀 떨어지지 않았다. 의관정제(衣冠整齊)라는 말이 있듯이 옷과 모자는 거의 같은 격이었고 의복

풍류를 즐길 때도 갓이나 가채로 의관을 정제했던 우리의 선조들

갖춤에 기본이었다. 특히 우리나라에서 모자는 예로부터 사람의 신분을 드러내는 용도로 사용되어 왔으며, 옷과 함께 모자까지 갖추어 쓸 수 있다는 것은 그 사람이 어느 정도 여유로운 사회적 위치에 있었음을 말해주는 것이었다.

서양에서도 마찬가지였다. 왕족과 귀족제도가 남아있는 영국에서는 모자를 만드는 밀리너(milliner)라는 직업이 존재할 정도로 모자에 대한 전통이 깊다. 귀족사회에서는 일반적으로 쓰는 베레모나 헌팅캡, 야구 모자를 넘어 예술작품으로 승화된 형태들이 각광받고 있기도 하다.

오늘날에는 그런 의미론적 가치는 많이 희석되었지만 모자는 그 위치나 역할 때문에 아직도 패션에서 무시할 수 없는 비중을 차지하고 있다. 얼굴과

수평선을 가진 모자를 썼을 때 나타나는 두 가지 상반된 효과

가장 가까운 데서 사람을 꾸며주는 역할을 하기 때문에 고르기가 쉽지 않으나 기본적인 구조를 알면 자신에게 어울리는 모자를 찾는 데 도움을 받을 수 있다. 우선 모자를 썼을 때 모자가 얼굴과 어떤 선으로 만나는지 살펴보자.

수평선으로 만나는 얼굴과 모자

중절모나 헌팅캡, 야구 모자같이 머리 윗부분이 수평으로 잘리는 경우가 있다. 특히 야구 모자는 챙이 있어 얼굴을 가려주기 때문에 요즘 사람들이 선호

화면을 가로지르는 사선구도의 역동적인 그림

하는 작은 얼굴을 연출하기 좋다. 하지만 볼살이 많아 동그랗거나 턱이 발달한 경우 챙 너비 밖으로 얼굴선이 나오기 때문에 오히려 볼과 턱이 강조된다. 그러므로 이런 모자는 피하는 것이 좋다.

사선으로 만나는 얼굴과 모자

수평선이나 수직선은 안정된 느낌을 주지만 사선은 역동적 느낌을 준다. 예컨대 같은 풍경화라도 사선구도를 가진 그림은 훨씬 힘이 있어 보인다.

사선으로 내려오는 모자의 역동적이고 멋스러운 느낌

모자도 그렇다. 모자의 선이 기울어진 사선이라면 그림과 같은 효과를 볼 수 있다. 예컨대 군인들이 모자를 똑바로 쓰면 위엄 있고 경직되어 보이지만 조금만 비뚤게 써도 개구쟁이처럼 보인다거나 흐트러져 보이는 것이 이런 이유 때문이다. 제복 모자가 사회적 관습 때문에 그렇게 보인다면 일반 모자는 사선으로 틀어 쓰면 깊이감이 있고 한층 멋을 낸 듯 보인다.

같은 베레모라도 선을 수평으로 쓰는 것보다는 사선이 한층 멋스러워 보이는 것은 다들 경험했을 것이다. 영국의 밀리너는 얼굴을 사선으로 반쯤 잘리게 디자인하는 방법을 많이 쓴다. 대칭보다는 비대칭이 얼굴선을 흐뜨러뜨려 작아 보이게 하고 스토리를 만들 수 있는 여운을 주기 때문이다.

동그랗게 감싸는 모자

겨울이면 자주 쓰는 니트 모자는 머리를 폭 감싸준다. 따라서 모자와 얼굴의 경계선이 자연스럽게 부드러운 곡선을 이룬다. 군밤장수가 많이 쓰는 모자도 이마와 볼을 감싸준다.

이런 형태는 위에만 가려주던 야구 모자와 달리 얼굴선의 가장자리를 거의 가려주어서 이 또한 얼굴 축소의 효과를 볼 수 있다. 이런 모자는 볼살이 많거나 턱이 발달한 얼굴형도 귀엽게 소화할 수 있다.

얼굴을 둥글게 감싸는 모자의 효과

예 술 적 인   모 자

앞에서 살펴본 류의 모자 외에도 예술적인 모양의 모자로 어필하는 경우가 있다. 필립 트레이시의 모자가 대표적이라고 할 수 있는데, 알렉산더 맥퀸과 같은 세계적으로 유명한 디자이너들과 많은 작업을 하고 있다. 그가 디자인한 모자는 모자라는 한계가 없는 듯 보인다. 이런 모자는 모자 자체의 예술성으로 어필하기 때문에 전통적인 관점에서는 말하기 어렵다. 이런 모자를 쓸 때는 옷과의 수평적 어울림보다는 모자 자체의 조형적 완성도와 주변 옷이 얼마나 무리 없이 헌신해주는가가 중요한 변수가 된다.

저런 걸 누가 쓰고 다니나, 할 수도 있지만 이런 모자와 패션은 상식적인 어울림의 문제보다는 예술적 성취를 기준으로 가치를 분별할 수 있다.

한일합방 이후로 우리나라에는 제대로 된 모자 문화라는 것이 사라져버렸다. 오늘날 모자는 옷과 마찬가지로 유행하는 아이템을 좇아 우르르 샀다가 한철 지나면 옷장에 처박아놓기 일쑤인 것 같다. 이는 대중만의 탓은 아니다. 디자이너 고유의 개성이 살아있는 모자도 흔치 않거니와 가격적인 면이나 문화적인 면에서 아직은 다양한 모자를 누리기에 우리 사회가 여유와 관용의 정신이 부족하기 때문일 것이다. 하지만 모자는 그 위치나 의미론적 측면에서 여전히 평가절하되기 어려운 아이템이다. 얼굴과 패션을 돋보이게 만들 수 있는 아이템이기 때문에 잘만 활용한다면 대단히 큰 효과를 얻을 수 있다.

예술적인 모자들

4 허리 길어 슬픈 여성이여, 벨트와 진해져라

〈섹스 앤 더 시티〉의 스타일리스트 페트리샤 필드는 옷을 스타일링하는 데 있어 마지막에 벨트를 고른다고 했다. 스타일의 완성은 벨트에서 이루어진다고 할 수 있을 정도로 벨트의 역할이 지대함을 세계적인 스타일리스트가 인정한 것이다. 작은 부분인 듯하지만 벨트라는 아이템은 옷을 잘 입는 사람인지, 못 입는 사람인지를 구분해 주는 중요한 열쇠이기도 하다.

패션의 중심이자 골칫덩어리, 허리

보통 현대 패션은, 원피스 같은 특이한 경우 말고는, 허리를 중심으로 위와 아래가 나뉜다. 입고 벗기 편하게 하기 위한 불가피한 선택이었다. 군복이나 서민의 노동복처럼 기능성이 우선되는 옷이 아닌 이상은 옷의 구조가 이렇게 반으로 뚝 잘라지는 경우는 동서를 막론하고 찾아보기 어렵다. 일반적으로 예복이나 관복 같은 옷은 모두 상황에 걸맞게, 혹은 모양새를 따져서 디자인되어 왔다.

그런데 현대 패션에 와서는 옷의 종류에 관계없이 일단 허리 위 · 아래를

패션의 중심이 되는 허리

한복 비례의 아름다움

둘로 나누어놓고 시작했다. 모양새보다는 기능성을 먼저 앞세웠던 탓이다. 이렇게 옷의 구조가 기능성에 의해 먼저 결정되다 보니 옷의 모양새를 가다듬는 일은 뒷수습이 되기 일쑤였고 당연히 무리가 따르지 않을 수 없었다. 허리 처리가 대표적인 문제였다.

조형적 측면에서 허리는 생각보다 두드러지는 부분이 아니다. 허리보다는 머리의 길이나 다리의 길이, 팔의 길이 등이 신체의 아름다움을 결정짓는 데 더 중요한 역할을 한다. 그런데 위치상으로도 허리선은 참 어정쩡하다. 신체를 정확하게 반으로 나누는 것도 아니고, 다리의 비례나 머리의 비례와 밀접한 관계를 가지는 것도 아니다. 신체의 비례미와는 관계없이 그냥 바지나 치마가 걸리는 위치일 뿐이다. 허리선이 고려되지 않은 우리의 한복이나 만주족의 치파오 같은 옷을 보면 허리선을 무시했을 때 얼마나 다양하고 아름다운 옷이 만들어질 수 있는지 확인할 수 있다.

하지만 현대 패션이 상·하의로 나누어짐에 따라 허리선은 본의 아니게 현대 패션의 중추역할을 맡게 되었다. 애초에 미적인 측면보다는 기능성에 의해 만들어지다 보니 허리선은 옷의 모양새에 도움이 되기보다는 걸림돌이 될 가능성이 높았다. 그런데 이렇게 애물단지가 될 수도 있는 허리선이 지금은 옷의 맵시를 푸는 열쇠역할을 하고 있다. 비례가 어정쩡하긴 하지만 그 바로 아래에서부터 다리가 시작되기 때문이다.

옷차림의 기초는 허리선 처리

직접적인 관계는 없지만 이웃에 있다 보니 허리선과 다리 길이는 묘한 방정식의 관계를 가진다. 이건 순전히 비례의 착시효과이기는 하지만 우리의 눈은 현대의상을 오래도록 보다보니 허리선의 위치를 보고 다리의 길이를 계산하는 버릇이 생겼다.

실제 다리 길이가 어떤가는 상관없이. 그런데 이것을 잘 이용하면 오히려 신체비례의 단점을 가리고 옷맵시를 대폭 강화할 수가 있다. 그 실마리는 오랜 역사를 거쳐 동양인 체형의 장단점을 가장 잘 반영하여 발전해온 한복과 기모노에서 찾아볼 수 있다.

토르소를 비슷하게 나누면 낭패를 본다

가장 쉽게 생각할 수 있는 것이 허리선, 즉 하의의 높이를 높여 다리를 길어 보이게 하는 것이다. 이런 점에서 한복은 극단적인 방법을 취한다. 치마의 시작점을 가슴까지 올리기 때문이다. 가슴 밑에서 끝나는 짧은 저고리 아래로 폭포처럼 내려오는 긴 치마는 옷 모양이 아름답고 말고 이전에 시원한 눈맛을 안겨준다. 서양의 엠파이어드레스도 흡사한 원리를 취한다.

상의와 하의 두 부분으로 나눴을 경우, 예를 들어 짧은 볼레로에 하이웨이스트 원피스를 매치했을 때 그런 효과를 얻을 수 있다. 그런데 많은 여성이 쉽게 저지르는 실수가 짧은 볼레로에 캐미솔을 입고 로우웨이스트 바지를 입는 것이다. 이렇게 되면 몸의 길이가 삼등분되어 허리가 더 길어보인다. 허리가 긴 여성에게는 백해무익한 코디네이션이 아닐 수 없다. 특히나 다리가 끝나는 부분과 가랑이가 노출되는 것은 다리의 한계를 극명하게 보여주므로 바지보다는 치마를 선택하는 것이 현명하다.

실루엣을 선택하라

현재 서울은 S라인과 V라인이 대세라지만 서양 복식사를 조금이라도 공부했다면, X라인 · H라인 · A라인 · O라인 등 시대에 따라 실루엣이 변화했음을 알 수 있다. 그 중 H라인은 직사각형 실루엣으로 몸의 실루엣을 평평하게 표현하는 대신 본래의 허리선을 감추어 착시효과를 준다. 물론 두 부분으로 나뉘었을 때 아랫부분이 길수록 다리도 길어보인다.

잘 쓰면 약, 잘못 쓰면 독

크리스찬 디오르는 여성성을 강조한 뉴룩으로 전쟁 후 여성의 마음을 사로잡았다. 여성의 몸을 가장 여성답게 표현해주는 X라인.

X라인으로 허리를 강조하는 실루엣을 선택했다면 다음은 벨트의 두께를 고를 차례다. 몸을 나누는 데 있어 벨트의 두께는 미묘하지만 큰 차이를 나타

H라인의 비례에 따른 효과

내기 때문이다. 아래 그림에서 왼쪽 그림은 상·하의가 황금비례로 나누어지는 데 큰 역할을 하여 몸을 더 아름답게 보이도록 해준다. 오른쪽의 두께가 있는 벨트는 상의와 비슷한 크기로 몸통을 나누어 상대적으로 치마부분이 길어 보이는데, 이는 다리 길이를 짧아 보이게 하는 데 일조한다.

벨트의 두께가 스타일에 미치는 영향

5 스카프, 그 무한한 변신가능성의 매력

대한민국에서 의무교육을 받은 사람이라면 누구나 붓에 물감을 듬뿍 묻혀 새하얀 도화지 위에 마구 문질러본 기억을 가지고 있을 것이다. 형형색색의 물감이 흰색 도화지 위를 덮다보면 어느새 물감의 궤적은 사라지고 멋진 색깔이나 멋진 모양이 나타난다. 같은 종이에 같은 물감으로 그리더라도 사람마다 다른 모양 다른 색깔이 무궁무진하게 만들어진다. 패션에서도 이런 마술이 있을까? 스카프가 그렇다.

물감으로 쓸 것인가. 지우개로 쓸 것인가

계절이 바뀌면 옷장 앞에서 고민이 시작된다. '입을 옷이 없어! 도대체 작년에 뭘 입고 다닌 거야?' 하지만 가을은 점점 짧아지고, 새로운 가을 코트나 카디건을 사자니 불황의 그늘로 쉽게 지갑이 열리지 않는다. 일교차도 커져 낮에는 덥고 아침 · 저녁으로는 어깨가 시릴 때, 가을을 느끼고는 싶은데 어찌해야 할지 막막할 때 당신을 구원해줄 수 있는 아이템이 바로 스카프 · 머플러. 더 넓게 생각하자면 큰 천이다. 하지만 많은 사람은 여성의 스카프를 목 주위에서만 기생하는 옷의 사촌, 액세서리의 사돈 정도로만 생각하기 쉽다.

그러나 옷에서의 스카프는 도화지에서의 물감과 크게 다르지 않다. 옷이 하얀색 도화지라면 스카프는 그 도화지 위를 마음대로 그려가는 물감이다. 그런데 문제는 옷에다 어떻게 그려가는가에 따라 명작이 그려질 수도 있고, 싸구려 이발소 그림이 그려질 수도 있다는 것이다.

스카프를 할 때는 누구나 멋진 그림을 바라겠지만 그게 그렇게 간단치 않다. 단지 화려한 장식을 첨가하는 정도로 스카프를 바라본다면 아름다운 그림을 그릴 가능성은 낮다. 우선 스카프를 하나의 물감으로 옷을 도화지로 바라보는 눈이 필요하다.

칠 하 라

일반적으로 스카프를 목이나 어깨에 둘러서 포인트를 주는 용도로 생각하기 쉽지만 스카프를 일종의 물감이라고 생각해보자. 어떻게 선을 긋던 면을 칠하던 그것은 자유다. 어깨 쪽을 넓게 칠할 수도 있고 벨트처럼 좁게 배에 둘러 신체를 상·하로 나눌 수도 있다. 스카프를 풀어서 어깨나 허리 등에 감아보자. 커다란 면이 무덤덤한 옷을 맛깔나게 만들어준다.

예를 들어보자. 블랙 라운드 티셔츠에 진을 입은 사람이 있다. 도화지에 물감을 칠하듯 여러 가지 방식으로 스카프를 둘러보자. 목이나 어깨에 한정하지 말고. 이렇듯 스카프 한 장의 포스는 단지 목에 두르는 수준을 뛰어넘는다.

스카프로만 한정 지었을 때는 이런 가능성이 전혀 드러나지 않는다. 이런 스카프의 가능성은 도화지에 그림을 그리는 화가, 혹은 여러 가지 재료를 섞어 멋진 조각을 만드는 조각가의 심미안을 통해서만 발견된다. 평범한 옷이 스카프를 어떻게 걸치느냐에 따라 완전히 다른 옷으로 변하는 것이다.

액세서리와 스카프는 본질적으로 다르다. 액세서리가 점이라면 스카프는 자유롭게 면도 되고 선도 되고 색도 되는 물감이다.

스카프로 어깨나 허리를 처리한 경우

화려한 프린트의 옷을 입었을 때 그 복잡함을 상쇄시키는 용도로 스카프를 활용할 수도 있다. 지우개로 복잡한 부분을 지운다는 느낌으로.

이번에는 강렬한 기하학 프린트의 원피스를 입고 있는 여성이 종이 위에 그려져 있다고 상상해보자. 그리고 막 껍질을 벗겨낸 새 지우개로 원하는 부분을 자유롭게 지워보자. 넓게도 지우고 세밀하게도 지우고. 옷이라는 틀에 갇히지 말고 정말 자유롭다. 그것이 스카프가 둘러질 곳이다. 그렇게 하면 틀에 갇혀 스카프를 둘렀을 때는 생각지도 못한 방법들이 쏟아진다.

스카프로 무늬를 가려서 지워낸 경우

덧 칠 하 라

이번에는 난이도가 조금 높다. 여성이라면 누구나 무늬가 예뻐서 샀지만 너무 화려하거나 과해서 손이 자주 가지 않는 옷이 있을 것이다. 이 느낌을 조금 희석시키기 위해 앞에서 말한 지우는 방법도 있겠지만 오히려 그에 못지않은 강렬한 무늬를 덧칠해서 중화시키는 방법도 있다. 다만 주의해야 할 점은 일정한 공식을 세워놓고 덧칠을 해야지 아무런 기준 없이 겹치기만 한다면 센스 없는 사람으로 낙인찍히기 딱 좋다.

무난하게 보이고 싶다면 원래 입은 옷에 있던 무늬 중 한 가지 색이 포함된 스카프를 두르면 된다. 더 복잡한 무늬를 더해서 과한 느낌을 희석시키고

스카프로 무늬 위에 무늬 넣는 경우

싶으면 무늬의 크기를 대조시키거나 보색대비나 명도대비가 큰 스카프를 겹쳐보자.

예전 같으면 옷의 가격표만으로도 치장이 되었다. 하지만 이제는 값비싼 협찬 옷을 입더라도 워스트에 랭크되는 연예인이 속출하는 시대다. 브랜드나 가격이 아니라 자신의 교양으로 치장해야 하는 시기에 들어선 것이다. 그러니 앞으로는 눈이 보배라는 말이 힘을 갖게 될 것이다.

그동안 많은 패셔니스타들 흉내내느라, 자기에게 맞지 않는 유행을 쫓느라, 8등신 연예인 따라 하느라 고생 많았을 것이다. 이제는 스카프 하나를 두르더라도 화가의 마음과 눈으로 자기에게 맞는 최고의 예술적 표현을 할 때다. 매연 가득한 명품거리를 벗어나 광활한 예술의 세계를 거닐면서 자신의 교양과 품위를 스카프를 통해 한껏 고양해보시길!

Oh,

초판1쇄 발행일 2010년 5월 3일
초판3쇄 발행일 2011년 7월 15일

지은이 최경원
펴낸이 허주영

펴낸곳 **minimum**
주소 서울시 서대문구 연희동 116-5
전화 · 팩스 02-336-3502 02-336-3009
등록번호 제312-2009-000039호

ISBN 978-89-964173-0-9 03600

가격은 뒤표지에 있습니다.
잘못된 책은 바꾸어드립니다.